KB052769

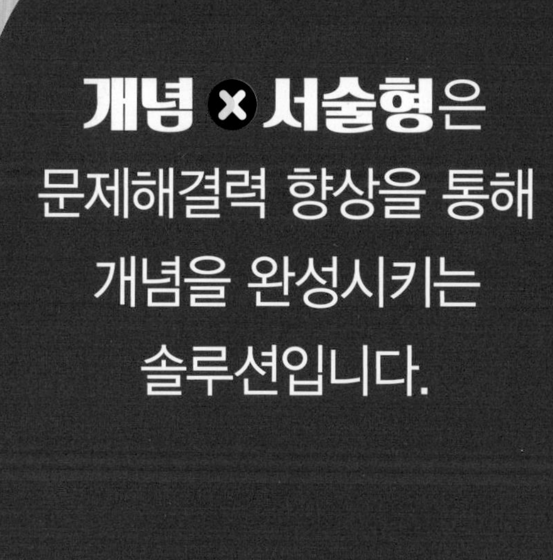
개념 x 서술형은
문제해결력 향상을 통해
개념을 완성시키는
솔루션입니다.

연구진

이동환_ 부산교육대학교 교수
이상욱_ 풍산자수학연구소 책임연구원

집필진

강연주_ 상도 뉴스터디, 풍산자수학연구소 연구위원
김규상_ 광명 더옳은수학, 풍산자수학연구소 연구위원
김명중_ 상도 뉴스터디, 풍산자수학연구소 연구위원
설성환_ 광명 더옳은수학, 풍산자수학연구소 연구위원
이지은_ 부산 하이매쓰, 풍산자수학연구소 연구위원
윤형은_ 상도 뉴스터디, 풍산자수학연구소 연구위원

교과서 속 **서술형**을 빠르게!

풍산자

개념 × 서술형

초등 **수학 6-2**

구성과 특징

개념 이해

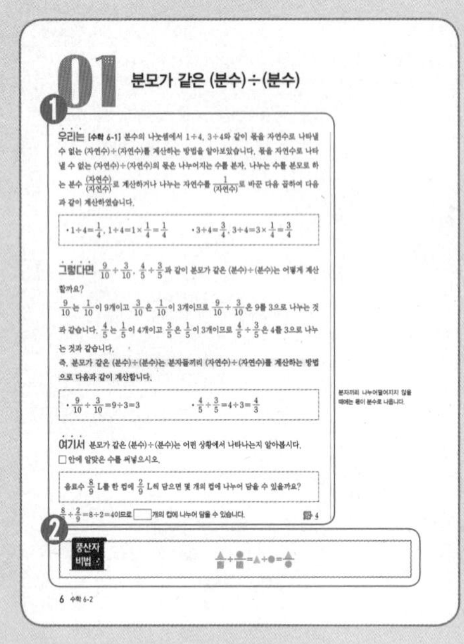

❶ 이미 배운 내용으로 앞으로 배울 내용을 자연스럽게 연계한 개념학습으로 읽으면서 이해할 수 있도록 개념을 설명했어요.

❷ 읽으면서 이해한 개념을 풍산자만의 비법으로 한눈에 정리할 수 있도록 하였습니다.

3단계 문제 해결

1단계 따라 푸는 서술형

개념과 관련된 대표 서술형 문제를 따라 풀어보며 배운 개념을 문제에 적용해요.

2단계 따라 푸는 문장제 서술형

많은 학생들이 어려워하는 문장제 서술형만 모았어요. 따라 풀기로 공부한다면 쉽게 해결할 수 있어요.

초등 풍산자 개념×서술형의 포인트

1 읽으면서 이해되는 개념

이미 학습한 개념을 바탕으로 앞으로 배울 개념을 자연스럽게 배웁니다.

2 꼭 필요한 핵심 개념 수록

교과서 단원을 재구성한 핵심 개념으로 수학을 가장 빠르고 쉽게 익힙니다.

3 학습에 가장 효율적인 3단계 문제

서술형의 3단계 문제 구성으로 수학 실력이 단계적으로 상승합니다.

3단계 스스로 푸는 서술형

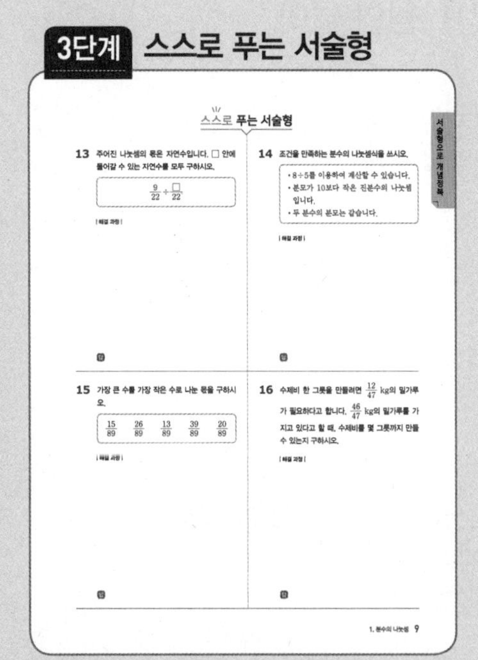

이제는 스스로 문제를 풀어볼까요?
문제 해결 과정을 스스로 서술해보며 개념 적용을 완벽하게 완성해요.

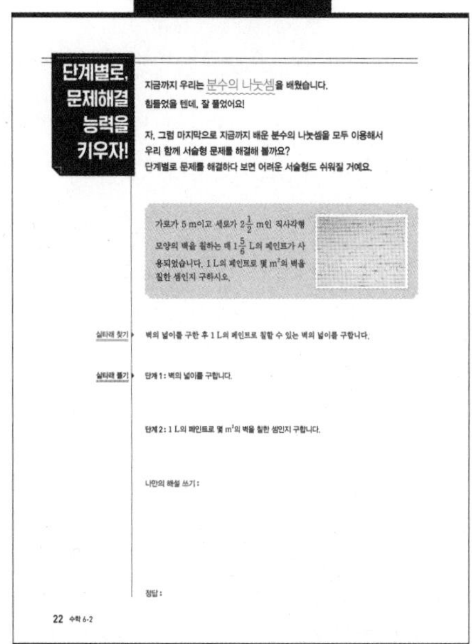

단원별로 배운 내용을 모두 이용해서 서술형 문제를 해결해 보세요. 단계별로 풀어보면 문제 해결 능력을 키울 수 있어요.

차례

1 ::: 분수의 나눗셈

2 ::: 소수의 나눗셈

3 ::: 공간과 입체

4 ::: 비례식과 비례배분

5 ::: 원의 넓이

6 ::: 원기둥, 원뿔, 구

1

분수의 나눗셈

공부할 내용	공부한 날
01 분모가 같은 (분수)÷(분수)	월 일
02 분모가 다른 (분수)÷(분수)	월 일
03 (자연수)÷(분수)	월 일
04 (분수)÷(분수)	월 일

01 분모가 같은 (분수)÷(분수)

우리는 [수학 6-1] 분수의 나눗셈에서 $1 \div 4$, $3 \div 4$와 같이 몫을 자연수로 나타낼 수 없는 (자연수)÷(자연수)를 계산하는 방법을 알아보았습니다. 몫을 자연수로 나타낼 수 없는 (자연수)÷(자연수)의 몫은 나누어지는 수를 분자, 나누는 수를 분모로 하는 분수 $\frac{(\text{자연수})}{(\text{자연수})}$로 계산하거나 나누는 자연수를 $\frac{1}{(\text{자연수})}$로 바꾼 다음 곱하여 다음과 같이 계산하였습니다.

> • $1 \div 4 = \frac{1}{4}$, $1 \div 4 = 1 \times \frac{1}{4} = \frac{1}{4}$　　• $3 \div 4 = \frac{3}{4}$, $3 \div 4 = 3 \times \frac{1}{4} = \frac{3}{4}$

그렇다면 $\frac{9}{10} \div \frac{3}{10}$, $\frac{4}{5} \div \frac{3}{5}$과 같이 분모가 같은 (분수)÷(분수)는 어떻게 계산할까요?

$\frac{9}{10}$는 $\frac{1}{10}$이 9개이고 $\frac{3}{10}$은 $\frac{1}{10}$이 3개이므로 $\frac{9}{10} \div \frac{3}{10}$은 9를 3으로 나누는 것과 같습니다. $\frac{4}{5}$는 $\frac{1}{5}$이 4개이고 $\frac{3}{5}$은 $\frac{1}{5}$이 3개이므로 $\frac{4}{5} \div \frac{3}{5}$은 4를 3으로 나누는 것과 같습니다.

즉, 분모가 같은 (분수)÷(분수)는 분자들끼리 (자연수)÷(자연수)를 계산하는 방법으로 다음과 같이 계산합니다.

> • $\frac{9}{10} \div \frac{3}{10} = 9 \div 3 = 3$　　• $\frac{4}{5} \div \frac{3}{5} = 4 \div 3 = \frac{4}{3}$

분자끼리 나누어떨어지지 않을 때에는 몫이 분수로 나옵니다.

여기서 분모가 같은 (분수)÷(분수)는 어떤 상황에서 나타나는지 알아봅시다.

□ 안에 알맞은 수를 써넣으시오.

> 음료수 $\frac{8}{9}$ L를 한 컵에 $\frac{2}{9}$ L씩 담으면 몇 개의 컵에 나누어 담을 수 있을까요?

$\frac{8}{9} \div \frac{2}{9} = 8 \div 2 = 4$이므로 □개의 컵에 나누어 담을 수 있습니다.　　답 4

풍산자 비법

$\frac{▲}{■} \div \frac{●}{■} = ▲ \div ● = \frac{▲}{●}$

따라 푸는 서술형

01 계산 결과를 비교하여 ○ 안에 >, =, <를 알맞게 써넣으시오.

$\frac{9}{13} \div \frac{3}{13}$ ○ $\frac{7}{11} \div \frac{2}{11}$

| 해결 과정 |

$\frac{9}{13} \div \frac{3}{13} = 9 \div 3 = 3$

$\frac{7}{11} \div \frac{2}{11} = 7 \div 2 = \frac{7}{2} = 3\frac{1}{2}$

따라서 ○ 안에 알맞은 것은 ☐입니다.

02 계산 결과를 비교하여 ○ 안에 >, =, <를 알맞게 써넣으시오.

$\frac{6}{7} \div \frac{2}{7}$ ○ $\frac{5}{9} \div \frac{4}{9}$

| 해결 과정 |

03 계산 결과가 가장 작은 식의 기호를 쓰시오.

㉠ $\frac{11}{12} \div \frac{5}{12}$ ㉡ $\frac{8}{9} \div \frac{2}{9}$ ㉢ $\frac{13}{15} \div \frac{11}{15}$

| 해결 과정 |

㉠ $\frac{11}{12} \div \frac{5}{12} = 11 \div 5 = \frac{11}{5} = 2\frac{1}{5}$

㉡ $\frac{8}{9} \div \frac{2}{9} = 8 \div 2 = 4$

㉢ $\frac{13}{15} \div \frac{11}{15} = 13 \div 11 = \frac{13}{11} = 1\frac{2}{11}$

따라서 계산 결과가 가장 작은 식은 ☐입니다.

04 계산 결과가 가장 큰 식의 기호를 쓰시오.

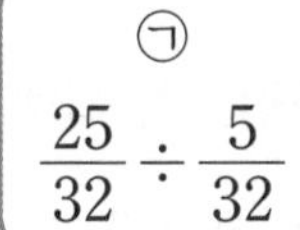
㉠ $\frac{25}{32} \div \frac{5}{32}$

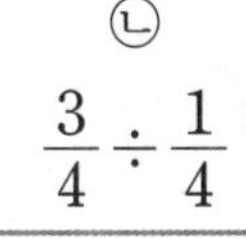
㉡ $\frac{3}{4} \div \frac{1}{4}$

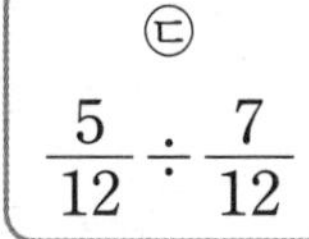
㉢ $\frac{5}{12} \div \frac{7}{12}$

| 해결 과정 |

05 계산 결과가 다른 하나를 찾아 기호를 쓰시오.

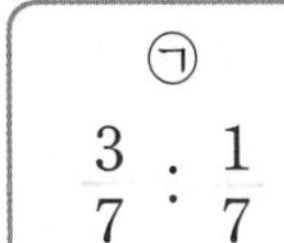
㉠ $\frac{3}{7} \div \frac{1}{7}$

㉡ $\frac{12}{17} \div \frac{4}{17}$

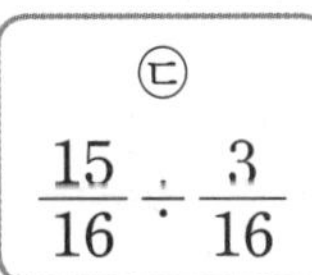
㉢ $\frac{15}{16} \div \frac{3}{16}$

| 해결 과정 |

㉠ $\frac{3}{7} \div \frac{1}{7} = 3 \div 1 = 3$

㉡ $\frac{12}{17} \div \frac{4}{17} = 12 \div 4 = 3$

㉢ $\frac{15}{16} \div \frac{3}{16} = 15 \div 3 = 5$

따라서 계산 결과가 다른 하나는 ☐입니다.

06 계산 결과가 다른 하나를 찾아 기호를 쓰시오.

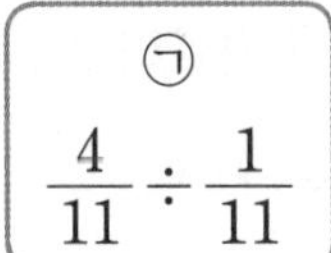
㉠ $\frac{4}{11} \div \frac{1}{11}$

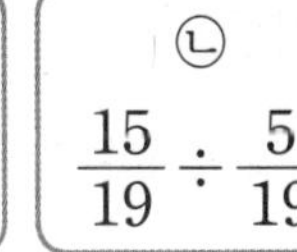
㉡ $\frac{15}{19} \div \frac{5}{19}$

㉢ $\frac{20}{21} \div \frac{5}{21}$

| 해결 과정 |

따라 푸는 문장제 서술형

07 탄산음료 $\frac{6}{7}$ L를 한 컵에 $\frac{2}{7}$ L씩 똑같이 나누어 담으려고 합니다. 몇 개의 컵에 나누어 담을 수 있는지 구하시오.

| 문제 이해 |

$\frac{2}{7}$ L씩 나누어 담는다 ⇨ $\frac{2}{7}$로 나눈다.

| 해결 과정 |

$\frac{6}{7} \div \frac{2}{7} = 6 \div 2 = 3$

따라서 ☐개의 컵에 나누어 담을 수 있습니다.

08 밀가루 $\frac{15}{17}$ kg을 한 봉지에 $\frac{3}{17}$ kg씩 나누어 담으려고 합니다. 몇 개의 봉지에 나누어 담을 수 있는지 구하시오.

| 문제 이해 |

$\frac{3}{17}$ kg씩 나누어 담는다 ⇨ ______________

| 해결 과정 |

09 지혜는 과자 한 봉지의 $\frac{35}{46}$를 먹었고 혜수는 과자 한 봉지의 $\frac{7}{46}$을 먹었습니다. 지혜가 먹은 양은 혜수가 먹은 양의 몇 배인지 구하시오.

| 문제 이해 |

몇 배 ⇨ $\frac{35}{46} \div \frac{7}{46}$

| 해결 과정 |

$\frac{35}{46} \div \frac{7}{46} = 35 \div 7 = 5$

따라서 지혜가 먹은 양은 혜수가 먹은 양의 ☐배입니다.

10 민준이는 우유 한 팩의 $\frac{18}{23}$을 마셨고 영수는 우유 한 팩의 $\frac{6}{23}$을 마셨습니다. 민준이가 마신 양은 영수가 마신 양의 몇 배인지 구하시오.

| 문제 이해 |

몇 배 ⇨ ______________

| 해결 과정 |

11 $\frac{21}{25}$ m의 리본을 $\frac{3}{25}$ m씩 자르려고 합니다. 리본은 몇 도막이 되는지 구하시오.

| 문제 이해 |

$\frac{3}{25}$ m씩 자른다 ⇨ $\frac{3}{25}$으로 나눈다.

| 해결 과정 |

$\frac{21}{25} \div \frac{3}{25} = 21 \div 3 = 7$

따라서 리본은 ☐도막이 됩니다.

12 $\frac{24}{37}$ m의 철사를 $\frac{6}{37}$ m씩 자르려고 합니다. 철사는 몇 도막이 되는지 구하시오.

| 문제 이해 |

$\frac{6}{37}$ m씩 자른다 ⇨ ______________

| 해결 과정 |

스스로 푸는 서술형

13 주어진 나눗셈의 몫은 자연수입니다. □ 안에 들어갈 수 있는 자연수를 모두 구하시오.

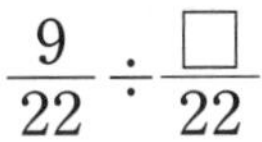

$\frac{9}{22} \div \frac{\square}{22}$

| 해결 과정 |

답

14 조건을 만족하는 분수의 나눗셈식을 쓰시오.

- 8÷5를 이용하여 계산할 수 있습니다.
- 분모가 10보다 작은 진분수의 나눗셈입니다.
- 두 분수의 분모는 같습니다.

| 해결 과정 |

답

15 가장 큰 수를 가장 작은 수로 나눈 몫을 구하시오.

$\frac{15}{89}$ $\frac{26}{89}$ $\frac{13}{89}$ $\frac{39}{89}$ $\frac{20}{89}$

| 해결 과정 |

답

16 수제비 한 그릇을 만들려면 $\frac{12}{47}$ kg의 밀가루가 필요하다고 합니다. $\frac{46}{47}$ kg의 밀가루를 가지고 있다고 할 때, 수제비를 몇 그릇까지 만들 수 있는지 구하시오.

| 해결 과정 |

답

02 분모가 다른 (분수)÷(분수)

우리는 앞 단원에서 $\frac{6}{7}\div\frac{2}{7}$, $\frac{7}{8}\div\frac{3}{8}$과 같이 분모가 같은 (분수)÷(분수)를 계산하는 방법을 알아보았습니다. 분모가 같은 (분수)÷(분수)는 분자들끼리 (자연수)÷(자연수)를 계산하는 방법으로 계산하였습니다.

$\frac{6}{7}\div\frac{2}{7}=6\div2=3$
$\frac{7}{8}\div\frac{3}{8}=7\div3=\frac{7}{3}$

그렇다면 $\frac{3}{5}\div\frac{3}{10}$, $\frac{3}{4}\div\frac{2}{3}$와 같이 분모가 다른 (분수)÷(분수)는 어떻게 계산할까요?

$\frac{3}{5}\div\frac{3}{10}$에서 두 분수의 분모를 같게 만들기 위해 $\frac{3}{5}$을 $\frac{6}{10}$으로 바꾸면 $\frac{6}{10}$은 $\frac{1}{10}$이 6개이고 $\frac{3}{10}$은 $\frac{1}{10}$이 3개이므로 $\frac{3}{5}\div\frac{3}{10}$은 6을 3으로 나누는 것과 같습니다.

$\frac{3}{4}\div\frac{2}{3}$에서 두 분수의 분모를 같게 만들기 위해 $\frac{3}{4}$을 $\frac{9}{12}$로, $\frac{2}{3}$를 $\frac{8}{12}$로 바꾸면 $\frac{9}{12}$는 $\frac{1}{12}$이 9개이고 $\frac{8}{12}$은 $\frac{1}{12}$이 8개이므로 $\frac{3}{4}\div\frac{2}{3}$는 9를 8로 나누는 것과 같습니다.

즉, 분모가 다른 (분수)÷(분수)는 두 분수를 통분하여 분모가 같은 (분수)÷(분수)를 계산하는 방법으로 다음과 같이 계산합니다.

- $\frac{3}{5}\div\frac{3}{10}=\frac{6}{10}\div\frac{3}{10}=6\div3=2$
- $\frac{3}{4}\div\frac{2}{3}=\frac{9}{12}\div\frac{8}{12}=9\div8=\frac{9}{8}$

두 분수를 통분할 때에는 두 분모의 곱 또는 두 분모의 최소공배수를 공통분모로 하여 통분합니다.

여기서 분모가 다른 (분수)÷(분수)는 어떤 상황에서 나타나는지 알아봅시다.

□ 안에 알맞은 수를 써넣으시오.

> 지연이는 리본 $\frac{2}{5}$ m를 가지고 있고 연서는 리본 $\frac{2}{15}$ m를 가지고 있습니다. 지연이의 리본은 연서의 리본의 몇 배일까요?

$\frac{2}{5}\div\frac{2}{15}=\frac{6}{15}\div\frac{2}{15}=6\div2=3$이므로 지연이의 리본은 연서의 리본의 □배입니다.

답 3

풍산자 비법

분모가 다른 (분수)÷(분수) ⇨ 통분하여 분모가 같은 (분수)÷(분수)로 바꾸어 계산한다.

따라 푸는 서술형

01 $\frac{1}{3} \div \frac{2}{5}$를 계산하시오.

| 해결 과정 |

두 분수를 통분하여 계산하면

$\frac{1}{3} \div \frac{2}{5} = \frac{5}{15} \div \frac{6}{15} = 5 \div 6 = \square$

02 $\frac{5}{6} \div \frac{3}{7}$을 계산하시오.

| 해결 과정 |

03 계산 결과를 비교하여 ○ 안에 >, =, <를 알맞게 써넣으시오.

$\frac{2}{3} \div \frac{1}{12} \bigcirc \frac{8}{9} \div \frac{4}{27}$

| 해결 과정 |

$\frac{2}{3} \div \frac{1}{12} = \frac{8}{12} \div \frac{1}{12} = 8 \div 1 = 8$

$\frac{8}{9} \div \frac{4}{27} = \frac{24}{27} \div \frac{4}{27} = 24 \div 4 = 6$

따라서 ○ 안에 알맞은 것은 $\square$입니다.

04 계산 결과를 비교하여 ○ 안에 >, =, <를 알맞게 써넣으시오.

$\frac{5}{7} \div \frac{5}{21} \bigcirc \frac{7}{9} \div \frac{1}{6}$

| 해결 과정 |

05 어떤 수에 $\frac{2}{7}$를 곱하였더니 $\frac{3}{4}$이 되었습니다. 어떤 수를 구하시오.

| 해결 과정 |

어떤 수를 □라고 하면 $\square \times \frac{2}{7} = \frac{3}{4}$

$\square = \frac{3}{4} \div \frac{2}{7} = \frac{21}{28} \div \frac{8}{28} = 21 \div 8 = \frac{21}{8}$

따라서 어떤 수는 $\square$입니다.

06 어떤 수에 $\frac{3}{5}$을 곱하였더니 $\frac{4}{35}$가 되었습니다. 어떤 수를 구하시오.

| 해결 과정 |

따라 푸는 문장제 서술형

07 유리는 피자 한 판의 $\frac{5}{7}$를 먹었고 예진이는 피자 한 판의 $\frac{5}{14}$를 먹었습니다. 유리가 먹은 양은 예진이가 먹은 양의 몇 배인지 구하시오.

| 문제 이해 |

몇 배 ⇨ $\frac{5}{7} \div \frac{5}{14}$

| 해결 과정 |

$\frac{5}{7} \div \frac{5}{14} = \frac{10}{14} \div \frac{5}{14} = 10 \div 5 = 2$

따라서 유리가 먹은 양은 예진이가 먹은 양의 ☐배입니다.

08 동진이는 빵 한 개의 $\frac{2}{9}$를 먹었고 미진이는 빵 한 개의 $\frac{4}{27}$를 먹었습니다. 동진이가 먹은 양은 미진이가 먹은 양의 몇 배인지 구하시오.

| 문제 이해 |

몇 배 ⇨ ______________________

| 해결 과정 |

09 냉장고에 우유가 $\frac{5}{6}$ L 있습니다. 우유를 하루에 $\frac{1}{12}$ L씩 마신다면 며칠 동안 마실 수 있는지 구하시오.

| 문제 이해 |

우유를 마실 수 있는 날수

⇨ (전체 우유의 양)÷(하루에 마시는 우유의 양)

| 해결 과정 |

$\frac{5}{6} \div \frac{1}{12} = \frac{10}{12} \div \frac{1}{12} = 10 \div 1 = 10$

따라서 우유를 ☐일 동안 마실 수 있습니다.

10 $\frac{9}{11}$ L의 페인트로 벽을 칠하려고 합니다. 페인트를 하루에 $\frac{3}{22}$ L씩 사용한다면 벽을 칠하는 데 총 며칠이 걸리는지 구하시오.

| 문제 이해 |

벽을 칠하는 데 걸리는 날수

⇨ ______________________

| 해결 과정 |

11 넓이가 $\frac{4}{5}$ m^2인 직사각형이 있습니다. 이 직사각형의 가로가 $\frac{2}{3}$ m일 때, 세로는 몇 m인지 구하시오.

| 문제 이해 |

직사각형의 넓이 ⇨ (가로)×(세로)

| 해결 과정 |

세로를 ☐ m라고 하면 $\frac{2}{3} \times \square = \frac{4}{5}$

$\square = \frac{4}{5} \div \frac{2}{3} = \frac{12}{15} \div \frac{10}{15} = 12 \div 10 = \frac{12}{10} = \frac{6}{5}$

따라서 직사각형의 세로는 ☐ m입니다.

12 넓이가 $\frac{5}{14}$ m^2인 직사각형이 있습니다. 이 직사각형의 세로가 $\frac{4}{21}$ m일 때, 가로는 몇 m인지 구하시오.

| 문제 이해 |

직사각형의 넓이 ⇨ ______________________

| 해결 과정 |

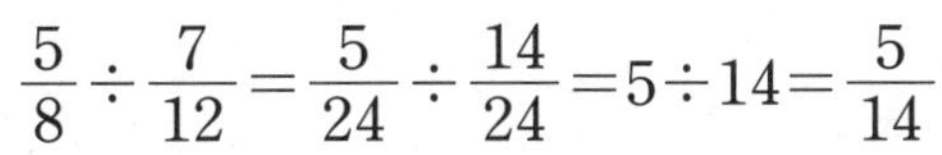

스스로 푸는 서술형

13 계산이 잘못된 이유를 쓰고 바르게 계산하시오.

$$\frac{5}{8} \div \frac{7}{12} = \frac{5}{24} \div \frac{14}{24} = 5 \div 14 = \frac{5}{14}$$

| 해결 과정 |

답

14 1부터 9까지의 자연수 중에서 □ 안에 들어갈 수 있는 수를 모두 구하시오.

 $< \frac{15}{17} \div \frac{5}{34}$

| 해결 과정 |

답

15 어떤 수에 $\frac{9}{11}$를 곱하였더니 $\frac{18}{33}$이 되었습니다. 어떤 수를 $\frac{5}{6}$로 나눈 몫을 구하시오.

| 해결 과정 |

16 3장의 수 카드를 사용하여 (진분수)÷(진분수)의 나눗셈식을 만들려고 합니다. 몫이 가장 큰 나눗셈식을 만들고 그 몫을 구하시오.

| 해결 과정 |

03 (자연수)÷(분수)

우리는 앞 단원에서 $\frac{5}{6}\div\frac{5}{12}$, $\frac{2}{5}\div\frac{3}{4}$과 같이 분모가 다른 (분수)÷(분수)를 계산하는 방법을 알아보았습니다. 분모가 다른 (분수)÷(분수)는 두 분수를 통분하여 분모가 같은 (분수)÷(분수)를 계산하는 방법으로 계산하였습니다.

$\frac{5}{6}\div\frac{5}{12}=\frac{10}{12}\div\frac{5}{12}$
$=10\div5=2$
$\frac{2}{5}\div\frac{3}{4}=\frac{8}{20}\div\frac{15}{20}$
$=8\div15=\frac{8}{15}$

그렇다면 $4\div\frac{2}{3}$와 같은 (자연수)÷(분수)는 어떻게 계산할까요?

조개 4 kg을 캐는 데 $\frac{2}{3}$시간이 걸렸을 때 1시간 동안 캘 수 있는 조개의 무게를 구하는 식은 $4\div\frac{2}{3}$로 나타낼 수 있습니다.

조개 4 kg을 캐는 데 2시간이 걸렸을 때 1시간 동안 캘 수 있는 조개의 무게를 구하는 식은 4÷2로 나타낼 수 있습니다.

1시간 동안 캘 수 있는 조개의 무게를 구하기 위해서 먼저 $\frac{1}{3}$시간 동안 캘 수 있는 조개의 무게를 구해 보면 4÷2=2(kg)이고, 1시간 동안 캘 수 있는 조개의 무게는 $\frac{1}{3}$시간 동안 캘 수 있는 조개의 무게의 3배이므로 2×3=6(kg)입니다.

즉, (자연수)÷(분수)는 (자연수)÷(분수의 분자)×(분수의 분모)로 다음과 같이 계산할 수 있습니다.

$$4\div\frac{2}{3}=(4\div2)\times3=2\times3=6$$

(자연수)÷(분수)는 자연수를 분수로 나타내어 분모가 같은 (분수)÷(분수)를 계산하는 방법으로 다음과 같이 계산할 수도 있습니다.
$4\div\frac{2}{3}=\frac{12}{3}\div\frac{2}{3}$
$=12\div2=6$

여기서 (자연수)÷(분수)는 어떤 상황에서 나타나는지 알아봅시다. □ 안에 알맞은 수를 써넣으시오.

사과 12 kg을 따는데 $\frac{3}{5}$시간이 걸렸습니다. 1시간 동안 딸 수 있는 사과의 무게는 몇 kg일까요?

$12\div\frac{3}{5}=(12\div3)\times5=4\times5=20$이므로 1시간 동안 딸 수 있는 사과의 무게는 □ kg입니다.

답 20

풍산자 비법

▲÷$\frac{●}{■}$=(▲÷●)×■

따라 푸는 서술형

01 자연수를 분수로 나눈 몫을 구하시오.

8	$\frac{4}{11}$

| 해결 과정 |

자연수는 8, 분수는 $\frac{4}{11}$이므로 자연수를 분수로 나눈 몫은

$8\div\frac{4}{11}=(8\div4)\times11=$ ☐입니다.

02 자연수를 분수로 나눈 몫을 구하시오.

12	$\frac{3}{7}$

| 해결 과정 |

03 계산 결과가 가장 큰 식의 기호를 쓰시오.

㉠	㉡	㉢
$14\div\frac{7}{15}$	$6\div\frac{3}{7}$	$18\div\frac{2}{5}$

| 해결 과정 |

㉠ $14\div\frac{7}{15}=(14\div7)\times15=30$

㉡ $6\div\frac{3}{7}=(6\div3)\times7=14$

㉢ $18\div\frac{2}{5}=(18\div2)\times5=45$

따라서 계산 결과가 가장 큰 식은 ☐입니다.

04 계산 결과가 가장 작은 식의 기호를 쓰시오.

㉠	㉡	㉢
$15\div\frac{5}{6}$	$21\div\frac{7}{11}$	$16\div\frac{4}{5}$

| 해결 과정 |

05 계산 결과를 비교하여 ○ 안에 >, =, <를 알맞게 써넣으시오.

$25\div\frac{5}{12}$ ○ $24\div\frac{3}{7}$

| 해결 과정 |

$25\div\frac{5}{12}=(25\div5)\times12=60$

$24\div\frac{3}{7}=(24\div3)\times7=56$

따라서 ○ 안에 알맞은 것은 ☐입니다.

06 계산 결과를 비교하여 ○ 안에 >, =, <를 알맞게 써넣으시오.

$32\div\frac{4}{9}$ ○ $28\div\frac{4}{7}$

| 해결 과정 |

따라 푸는 문장제 서술형

07 길이가 12 m인 천을 $\frac{3}{5}$ m씩 잘라 치마를 만들려고 합니다. 치마를 모두 몇 개 만들 수 있는지 구하시오.

| 문제 이해 |

$\frac{3}{5}$ m씩 자른다 ⇨ $\frac{3}{5}$으로 나눈다.

| 해결 과정 |

$12 \div \frac{3}{5} = (12 \div 3) \times 5 = 20$

따라서 치마를 모두 ☐개 만들 수 있습니다.

08 길이가 14 m인 리본을 $\frac{2}{7}$ m씩 잘라 머리끈을 만들려고 합니다. 머리끈을 모두 몇 개 만들 수 있는지 구하시오.

| 문제 이해 |

$\frac{2}{7}$ m씩 자른다 ⇨ ________________

| 해결 과정 |

09 소정이네 가족은 감자 15 kg을 캐는 데 $\frac{3}{5}$시간이 걸렸습니다. 소정이네 가족이 1시간 동안 캘 수 있는 감자는 몇 kg인지 구하시오.

| 문제 이해 |

1시간 동안 캘 수 있는 감자의 무게
⇨ (감자의 양)÷(걸린 시간)

| 해결 과정 |

$15 \div \frac{3}{5} = (15 \div 3) \times 5 = 25$

따라서 소정이네 가족이 1시간 동안 캘 수 있는 감자는 ☐ kg입니다.

10 지수네 가족은 귤 16상자를 수확하는 데 $\frac{2}{3}$시간이 걸렸습니다. 지수네 가족이 1시간 동안 수확할 수 있는 귤은 몇 상자인지 구하시오.

| 문제 이해 |

1시간 동안 수확할 수 있는 귤의 양
⇨ ________________

| 해결 과정 |

11 넓이가 2 cm^2인 삼각형이 있습니다. 이 삼각형의 높이가 $\frac{4}{5}$ cm일 때, 밑변은 몇 cm인지 구하시오.

| 문제 이해 |

삼각형의 넓이 ⇨ (밑변)×(높이)÷2

| 해결 과정 |

밑변을 ☐ cm라고 하면 $\square \times \frac{4}{5} \div 2 = 2$

$\square = 2 \times 2 \div \frac{4}{5} = 4 \div \frac{4}{5} = (4 \div 4) \times 5 = 5$

따라서 삼각형의 밑변은 ☐ cm입니다.

12 넓이가 3 cm^2인 삼각형이 있습니다. 이 삼각형의 높이가 $\frac{6}{7}$ cm일 때, 밑변은 몇 cm인지 구하시오.

| 문제 이해 |

삼각형의 넓이 ⇨ ________________

| 해결 과정 |

스스로 푸는 서술형

13 □ 안에 들어갈 수 있는 자연수는 모두 몇 개인지 구하시오.

$$14 \div \frac{7}{9} < \square < 10 \div \frac{2}{5}$$

| 해결 과정 |

답

14 은지는 6 km를 달리는 데 40분이 걸렸고 재호는 9 km를 달리는 데 45분이 걸렸습니다. 같은 빠르기로 달린다면 1시간 동안 더 많이 달린 학생은 누구인지 쓰시오.

| 해결 과정 |

답

15 머핀 1개를 만드는 데 밀가루 $\frac{2}{7}$컵이 필요하다고 합니다. 밀가루 8컵으로 머핀을 몇 개 만들 수 있는지 구하시오.

| 해결 과정 |

답

16 어떤 수에 $\frac{2}{3}$를 곱하였더니 18이 되었습니다. 어떤 수를 구하시오.

| 해결 과정 |

답

04 (분수)÷(분수)

우리는 [수학 6-1] 분수의 나눗셈에서 $\frac{8}{9}\div4$, $\frac{3}{5}\div2$와 같은 (분수)÷(자연수)를 계산하는 방법을 알아보았습니다. (분수)÷(자연수)는 자연수를 $\frac{1}{(자연수)}$로 바꾼 다음 곱하여 계산하였습니다.

$\frac{8}{9}\div4=\frac{\overset{2}{\cancel{8}}}{9}\times\frac{1}{\underset{1}{\cancel{4}}}=\frac{2}{9}$

$\frac{3}{5}\div2=\frac{3}{5}\times\frac{1}{2}=\frac{3}{10}$

그렇다면 $\frac{4}{5}\div\frac{2}{3}$와 같은 (분수)÷(분수)도 곱셈으로 바꾸어 계산할 수 있을까요?

(분수)÷(자연수)에서 $\frac{(자연수)}{1}$의 분모와 분자를 바꾼 다음 나눗셈을 곱셈으로 고쳐서 계산한 것과 같은 방법으로 (분수)÷(분수)도 나눗셈을 곱셈으로 고치고 나누는 분수의 분모와 분자를 바꾸어 다음과 같이 계산합니다.

$$\frac{4}{5}\div\frac{2}{3}=\frac{\overset{2}{\cancel{4}}}{5}\times\frac{3}{\underset{1}{\cancel{2}}}=\frac{6}{5}$$

즉, (자연수)÷(분수), (가분수)÷(분수)는 나누는 분수의 분모와 분자를 바꾸어 다음과 같이 곱셈으로 계산할 수 있습니다.

- $4\div\frac{2}{3}=\overset{2}{\cancel{4}}\times\frac{3}{\underset{1}{\cancel{2}}}=6$
- $\frac{5}{3}\div\frac{5}{6}=\frac{\overset{1}{\cancel{5}}}{\underset{1}{\cancel{3}}}\times\frac{\overset{2}{\cancel{6}}}{\underset{1}{\cancel{5}}}=2$

(대분수)÷(분수)는 대분수를 가분수로 바꾸어 계산합니다.

$1\frac{1}{4}\div\frac{3}{5}=\frac{5}{4}\times\frac{5}{3}=\frac{25}{12}$

여기서 (대분수)÷(분수)는 어떤 상황에서 나타나는지 알아봅시다. □ 안에 알맞은 수를 써넣으시오.

> 집에서 학교까지의 거리는 $3\frac{3}{4}$ km이고 집에서 마트까지의 거리는 $\frac{4}{5}$ km입니다. 집에서 학교까지의 거리는 집에서 마트까지의 거리의 몇 배일까요?

$3\frac{3}{4}\div\frac{4}{5}=\frac{15}{4}\times\frac{5}{4}=\frac{75}{16}=4\frac{11}{16}$이므로 집에서 학교까지의 거리는 집에서 마트까지의 거리의 □ 배입니다.

답 $4\frac{11}{16}$

풍산자 비법

(분수)÷(분수) ⇨ 나누는 분수의 분모와 분자를 바꾸어 나눗셈을 곱셈으로 계산한다.

따라 푸는 서술형

01 $1\frac{1}{2} \div \frac{3}{4}$을 계산하시오.

| 해결 과정 |

대분수를 가분수로 바꾸어 계산하면

$\frac{3}{2} \div \frac{3}{4} = \frac{\overset{1}{\cancel{3}}}{\underset{1}{\cancel{2}}} \times \frac{\overset{2}{\cancel{4}}}{\underset{1}{\cancel{3}}} = \square$

02 $2\frac{2}{5} \div \frac{1}{7}$을 계산하시오.

| 해결 과정 |

03 잘못 계산한 곳을 찾아 바르게 계산하시오.

$$\frac{4}{7} \div \frac{16}{21} = \frac{7}{4} \times \frac{16}{21} = \frac{4}{3}$$

| 해결 과정 |

나눗셈을 곱셈으로 고치고 나누는 분수의 분모와 분자를 바꾸어 계산해야 합니다.

따라서 바르게 계산하면 $\frac{4}{7} \div \frac{16}{21} = \frac{\overset{1}{\cancel{4}}}{\underset{1}{\cancel{7}}} \times \frac{\overset{3}{\cancel{21}}}{\underset{4}{\cancel{16}}} = \square$

04 잘못 계산한 곳을 찾아 바르게 계산하시오.

$$\frac{4}{9} \div \frac{5}{12} = \frac{4}{9} \times \frac{5}{12} = \frac{5}{27}$$

| 해결 과정 |

05 계산 결과를 비교하여 ○ 안에 >, =, <를 알맞게 써넣으시오.

$$\frac{9}{7} \div \frac{3}{4} \bigcirc \frac{5}{4} \div \frac{1}{9}$$

| 해결 과정 |

$\frac{9}{7} \div \frac{3}{4} = \frac{\overset{3}{\cancel{9}}}{7} \times \frac{4}{\underset{1}{\cancel{3}}} = \frac{12}{7} = 1\frac{5}{7}$

$\frac{5}{4} \div \frac{1}{9} = \frac{5}{4} \times 9 = \frac{45}{4} = 11\frac{1}{4}$

따라서 ○ 안에 알맞은 것은 $\square$입니다.

06 계산 결과를 비교하여 ○ 안에 >, =, <를 알맞게 써넣으시오.

$$1\frac{2}{3} \div \frac{1}{12} \bigcirc \frac{14}{23} \div \frac{1}{3}$$

| 해결 과정 |

따라 푸는 문장제 서술형

07 음료수 $\frac{2}{7}$ L의 가격이 1300원입니다. 음료수 1 L의 가격은 얼마인지 구하시오.

| 문제 이해 |

음료수 1 L의 가격 ⇨ (가격)÷(음료수의 양)

| 해결 과정 |

$1300 \div \frac{2}{7} = \overset{650}{\cancel{1300}} \times \frac{7}{\underset{1}{\cancel{2}}} = 4550$

따라서 음료수 1 L의 가격은 [ ]원입니다.

08 순대 $\frac{2}{5}$ m의 가격이 2000원입니다. 순대 1 m의 가격은 얼마인지 구하시오.

| 문제 이해 |

순대 1 m의 가격 ⇨ ______

| 해결 과정 |

09 고무관 $\frac{5}{7}$ m의 무게가 $\frac{5}{9}$ kg입니다. 고무관 1 m의 무게를 구하시오.

| 문제 이해 |

고무관 1 m의 무게 ⇨ (무게)÷(고무관의 길이)

| 해결 과정 |

$\frac{5}{9} \div \frac{5}{7} = \frac{\overset{1}{\cancel{5}}}{9} \times \frac{7}{\underset{1}{\cancel{5}}} = \frac{7}{9}$

따라서 고무관 1 m의 무게는 [ ] kg입니다.

10 보리 $\frac{8}{9}$ 봉지의 무게가 $\frac{2}{3}$ kg입니다. 보리 한 봉지의 무게를 구하시오.

| 문제 이해 |

보리 한 봉지의 무게 ⇨ ______

| 해결 과정 |

11 붕어빵 한 개를 만드는 데 밀가루 $\frac{3}{7}$ 컵이 필요합니다. 밀가루 $3\frac{6}{7}$ 컵으로 만들 수 있는 붕어빵은 모두 몇 개인지 구하시오.

| 문제 이해 |

$\frac{3}{7}$ 컵이 필요하다 ⇨ $\frac{3}{7}$으로 나눈다.

| 해결 과정 |

$3\frac{6}{7} \div \frac{3}{7} = \frac{27}{7} \div \frac{3}{7} = \frac{\overset{9}{\cancel{27}}}{\underset{1}{\cancel{7}}} \times \frac{\overset{1}{\cancel{7}}}{\underset{1}{\cancel{3}}} = 9$

따라서 만들 수 있는 붕어빵은 모두 [ ]개입니다.

12 케이크 한 개를 만드는 데 밀가루 $\frac{3}{4}$ 컵이 필요합니다. 밀가루 $10\frac{1}{2}$ 컵으로 만들 수 있는 케이크는 모두 몇 개인지 구하시오.

| 문제 이해 |

$\frac{3}{4}$ 컵이 필요하다 ⇨ ______

| 해결 과정 |

스스로 푸는 서술형

13 계산 결과가 큰 것부터 차례대로 기호를 쓰시오.

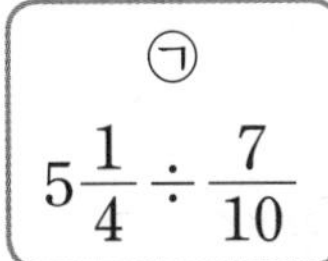

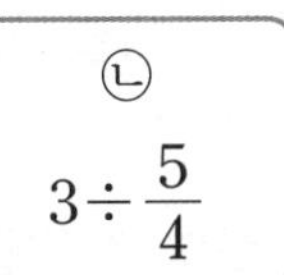

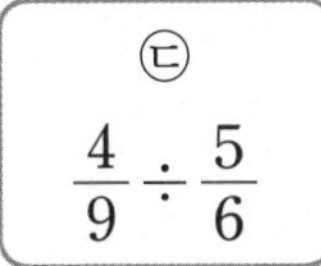

| 해결 과정 |

답

14 두 도형의 넓이가 같을 때, 삼각형의 높이는 몇 cm인지 구하시오.

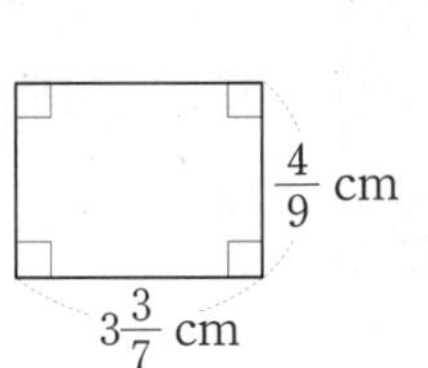

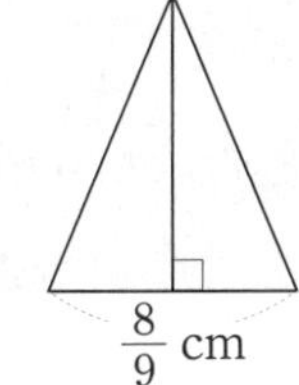

| 해결 과정 |

답

15 어떤 수를 $\frac{5}{6}$로 나누어야 할 것을 잘못하여 곱하였더니 $1\frac{7}{8}$이 되었습니다. 바르게 계산한 값을 구하시오.

| 해결 과정 |

답

16 떨어뜨린 높이의 $\frac{3}{10}$만큼 튀어 오르는 공이 있습니다. 이 공을 떨어뜨렸을 때 두 번째로 튀어 오른 높이가 $5\frac{2}{5}$ m였다면 처음 공을 떨어뜨린 높이는 몇 m인지 구하시오.

| 해결 과정 |

답

단계별로, 문제해결 능력을 키우자!

지금까지 우리는 분수의 나눗셈을 배웠습니다.
힘들었을 텐데, 잘 풀었어요!

자, 그럼 마지막으로 지금까지 배운 분수의 나눗셈을 모두 이용해서 우리 함께 서술형 문제를 해결해 볼까요?
단계별로 문제를 해결하다 보면 어려운 서술형도 쉬워질 거예요.

가로가 5 m이고 세로가 $2\frac{1}{2}$ m인 직사각형 모양의 벽을 칠하는 데 $1\frac{5}{6}$ L의 페인트가 사용되었습니다. 1 L의 페인트로 몇 m^2의 벽을 칠한 셈인지 구하시오.

실타래 찾기 ▶ 벽의 넓이를 구한 후 1 L의 페인트로 칠할 수 있는 벽의 넓이를 구합니다.

실타래 풀기 ▶ **단계 1 :** 벽의 넓이를 구합니다.

단계 2 : 1 L의 페인트로 몇 m^2의 벽을 칠한 셈인지 구합니다.

나만의 해설 쓰기 :

정답 :

2

소수의 나눗셈

공부할 내용	공부한 날
05 (소수)÷(소수) (1)	월 일
06 (소수)÷(소수) (2)	월 일
07 (소수)÷(소수) (3)	월 일
08 (자연수)÷(소수)	월 일
09 몫의 반올림과 나누어 주고 남는 양	월 일

05 (소수)÷(소수) (1)

우리는 **[수학 6-1]** 소수의 나눗셈에서 24.4÷2, 2.44÷2와 같은 (소수)÷(자연수)를 계산하는 방법을 알아보았습니다. (소수)÷(자연수)는 자연수의 나눗셈을 이용하여 계산한 후 소수점을 표시하여 다음과 같이 계산하였습니다.

> 244÷2=122이므로 24.4÷2=12.2, 2.44÷2=1.22

나누어지는 수가 $\frac{1}{10}$배가 되면 몫도 $\frac{1}{10}$배가 되고, 나누어지는 수가 $\frac{1}{100}$배가 되면 몫도 $\frac{1}{100}$배가 됩니다.

그렇다면 12.5÷0.5, 1.25÷0.05와 같은 (소수)÷(소수)는 어떻게 계산할까요? 나눗셈에서 나누는 수와 나누어지는 수에 같은 수를 곱하면 몫은 변하지 않으므로 (소수)÷(소수)는 나누는 수와 나누어지는 수에 10배 또는 100배를 하여 (자연수)÷(자연수)로 바꾸어 다음과 같이 계산합니다.

- 12.5÷0.5 ⇨ 나누는 수와 나누어지는 수에 10을 곱하여 계산하면 125÷5=25이므로 12.5÷0.5=25

  12.5 ÷ 0.5
  10배↓ ↓10배
  125 ÷ 5 =25

- 1.25÷0.05 ⇨ 나누는 수와 나누어지는 수에 100을 곱하여 계산하면 125÷5=25이므로 1.25÷0.05=25

  1.25 ÷ 0.05
  100배↓ ↓100배
  125 ÷ 5 =25

12.5는 0.1이 125개, 0.5는 0.1이 5개입니다.

1.25는 0.01이 125개, 0.05는 0.01이 5개입니다.

여기서 (소수)÷(소수)는 어떤 상황에서 나타나는지 알아봅시다. □ 안에 알맞은 수를 써넣으시오.

> 리본을 만드는 데 색 테이프 0.6 m가 필요합니다. 2.4 m의 색 테이프로 리본을 몇 개 만들 수 있을까요?

2.4÷0.6에서 나누는 수와 나누어지는 수에 10을 곱하여 계산하면 24÷6=4이므로 2.4÷0.6=4입니다. 따라서 2.4 m의 색 테이프로 리본을 □개 만들 수 있습니다.

답 4

풍산자 비법

(소수)÷(소수) ⇨ 나누는 수와 나누어지는 수에 10배 또는 100배를 하여 (자연수)÷(자연수)로 바꾸어 계산한다.

따라 푸는 서술형

01 큰 수를 작은 수로 나눈 몫을 구하시오.

0.3	4.5

| 해결 과정 |

큰 수는 4.5, 작은 수는 0.3이므로 큰 수를 작은 수로 나눈 몫은 $4.5 \div 0.3 = 45 \div 3 = \square$입니다.

02 큰 수를 작은 수로 나눈 몫을 구하시오.

0.56	0.07

| 해결 과정 |

03 계산 결과를 비교하여 ○ 안에 >, =, <를 알맞게 써넣으시오.

$1.2 \div 0.2$ ○ $0.18 \div 0.03$

| 해결 과정 |

$1.2 \div 0.2 = 12 \div 2 = 6$

$0.18 \div 0.03 = 18 \div 3 = 6$

따라서 ○ 안에 알맞은 것은 $\square$입니다.

04 계산 결과를 비교하여 ○ 안에 >, =, <를 알맞게 써넣으시오.

$0.34 \div 0.17$ ○ $4.5 \div 0.3$

| 해결 과정 |

05 □ 안에 들어갈 수 있는 가장 작은 자연수를 구하시오.

$5.7 \div 0.3 < \square$

| 해결 과정 |

$5.7 \div 0.3 = 57 \div 3 = 19$

$19 < \square$이므로 □ 안에 들어갈 수 있는 가장 작은 자연수는 $\square$입니다.

06 □ 안에 들어갈 수 있는 가장 큰 자연수를 구하시오.

$\square < 1.32 \div 0.06$

| 해결 과정 |

따라 푸는 문장제 서술형

07 우유 3.2 L를 컵 하나에 0.4 L씩 나누어 담으려고 합니다. 몇 개의 컵에 나누어 담을 수 있는지 구하시오.

| 문제 이해 |

0.4 L씩 나누어 담는다 ⇨ 0.4로 나눈다.

| 해결 과정 |

$3.2 \div 0.4 = 32 \div 4 = 8$

따라서 □개의 컵에 나누어 담을 수 있습니다.

08 음료수 14.4 L를 컵 하나에 0.9 L씩 나누어 담으려고 합니다. 몇 개의 컵에 나누어 담을 수 있는지 구하시오.

| 문제 이해 |

0.9 L씩 나누어 담는다 ⇨ ____________

| 해결 과정 |

09 길이가 8.4 m인 색 테이프를 1.2 m씩 똑같이 잘랐습니다. 자른 색 테이프는 모두 몇 도막인지 구하시오.

| 문제 이해 |

1.2 m씩 자른다 ⇨ 1.2로 나눈다.

| 해결 과정 |

$8.4 \div 1.2 = 84 \div 12 = 7$

따라서 색 테이프는 □도막이 됩니다.

10 길이가 25.6 cm인 띠 골판지를 0.8 cm씩 똑같이 잘랐습니다. 자른 띠 골판지는 모두 몇 도막인지 구하시오.

| 문제 이해 |

0.8 cm씩 자른다 ⇨ ____________

| 해결 과정 |

11 넓이가 5.2 cm^2인 평행사변형이 있습니다. 이 평행사변형의 밑변이 0.4 cm일 때, 높이는 몇 cm인지 구하시오.

| 문제 이해 |

평행사변형의 넓이 ⇨ (밑변)×(높이)

| 해결 과정 |

높이를 □ cm라고 하면 $0.4 \times □ = 5.2$

$□ = 5.2 \div 0.4 = 52 \div 4 = 13$

따라서 평행사변형의 높이는 □ cm입니다.

12 넓이가 15.3 cm^2인 평행사변형이 있습니다. 이 평행사변형의 높이가 1.7 cm일 때, 밑변은 몇 cm인지 구하시오.

| 문제 이해 |

평행사변형의 넓이 ⇨ ____________

| 해결 과정 |

스스로 푸는 서술형

13 □ 안에 들어갈 수 있는 자연수는 모두 몇 개인지 구하시오.

$8.25 \div 0.15 < \square < 2.56 \div 0.04$

| 해결 과정 |

답

14 계산 결과가 큰 것부터 차례대로 기호를 쓰시오.

㉠	㉡	㉢
$3.23 \div 0.19$	$4.2 \div 0.2$	$59.8 \div 2.6$

| 해결 과정 |

답

15 28.8 kg의 쌀이 있습니다. 이 쌀을 한 통에 0.8 kg씩 나누어 담으려고 합니다. 통은 모두 몇 개 필요한지 구하시오.

| 해결 과정 |

답

16 조건을 만족하는 나눗셈식을 찾아 계산하시오.

- $594 \div 66$을 이용하여 풀 수 있습니다.
- 나누는 수와 나누어지는 수를 각각 100배 하면 $594 \div 66$이 됩니다.

| 해결 과정 |

답

06 (소수)÷(소수) (2)

우리는 앞 단원에서 39.6÷0.3, 3.96÷0.03과 같은 (소수)÷(소수)를 계산하는 방법을 알아보았습니다. (소수)÷(소수)는 나누는 수와 나누어지는 수에 10배 또는 100배를 하여 (자연수)÷(자연수)로 바꾸어 계산하였습니다.

- 39.6÷0.3
  ⇨ 396÷3=132이므로
  39.6÷0.3=132
- 3.96÷0.03
  ⇨ 396÷3=132이므로
  3.96÷0.03=132

그렇다면 1.5÷0.3, 1.38÷0.23과 같이 자릿수가 같은 (소수)÷(소수)는 어떻게 계산할까요?

소수 한 자리 수 또는 소수 두 자리 수의 (소수)÷(소수)는 분모가 10 또는 100인 분수로 고쳐서 분수의 나눗셈으로 계산하거나 나누는 수와 나누어지는 수를 10배 또는 100배 하여 소수점을 각각 오른쪽으로 한 자리 또는 두 자리씩 옮겨서 세로로 다음과 같이 계산합니다.

[방법 1] 분수의 나눗셈으로 계산

- $1.5 \div 0.3 = \frac{15}{10} \div \frac{3}{10} = 15 \div 3 = 5$
- $1.38 \div 0.23 = \frac{138}{100} \div \frac{23}{100} = 138 \div 23 = 6$

[방법 2] 소수점을 옮겨 세로로 계산

$$0.3\overline{)1.5} \Rightarrow 3\overline{)15}$$ 몫 5, 15−15=0

소수점을 오른쪽으로 한 자리씩 옮기기

$$0.23\overline{)1.38} \Rightarrow 23\overline{)138}$$ 몫 6, 138−138=0

소수점을 오른쪽으로 두 자리씩 옮기기

세로 계산에서 몫을 쓸 때 옮긴 소수점의 위치에서 소수점을 찍어 주어야 합니다.

여기서 자릿수가 같은 (소수)÷(소수)는 어떤 상황에서 나타나는지 알아봅시다.
□ 안에 알맞은 수를 써넣으시오.

물 4.48 L를 물통 한 개에 1.12 L씩 나누어 담는다면 물통 몇 개가 필요할까요?

$4.48 \div 1.12 = \frac{448}{100} \div \frac{112}{100} = 448 \div 112 = 4$이므로 물통 □개가 필요합니다.

답 4

풍산자 비법

자릿수가 같은 (소수)÷(소수) ⇨ 세로 계산에서 나누는 수와 나누어지는 수의 소수점을 같은 자리만큼 옮겨 계산한다.

따라 푸는 서술형

01 $7.8\div0.6$을 분수의 나눗셈으로 바꾸어 계산한 결과와 세로로 계산한 결과를 비교하시오.

| 해결 과정 |

$7.8\div0.6=\frac{78}{10}\div\frac{6}{10}$
$=78\div6$
$=13$

$$\begin{array}{r} 13 \\ 0.6\overline{)7.8} \\ 6 \\ \hline 18 \\ 18 \\ \hline 0 \end{array}$$

따라서 두 가지 방법으로 계산한 결과는 □.

02 $3.68\div0.16$을 분수의 나눗셈으로 바꾸어 계산한 결과와 세로로 계산한 결과를 비교하시오.

| 해결 과정 |

03 큰 수를 작은 수로 나눈 몫을 구하시오.

14.4	1.6

| 해결 과정 |

큰 수는 14.4, 작은 수는 1.6이므로 큰 수를 작은 수로 나눈 몫은

$14.4\div1.6=\frac{144}{10}\div\frac{16}{10}=144\div16=$□

입니다.

04 큰 수를 작은 수로 나눈 몫을 구하시오.

4.14	0.23

| 해결 과정 |

05 계산 결과를 비교하여 ○ 안에 >, =, <를 알맞게 써넣으시오.

$20.9\div1.9$ ○ $2.08\div0.26$

| 해결 과정 |

$20.9\div1.9=\frac{209}{10}\div\frac{19}{10}=209\div19=11$

$2.08\div0.26=\frac{208}{100}\div\frac{26}{100}=208\div26=8$

따라서 ○ 안에 알맞은 것은 □입니다.

06 계산 결과를 비교하여 ○ 안에 >, =, <를 알맞게 써넣으시오.

$1.56\div0.13$ ○ $5.32\div0.28$

| 해결 과정 |

따라 푸는 문장제 서술형

07 찬영이가 가지고 있는 리본의 길이는 6.72 m이고 혜진이가 가지고 있는 리본의 길이는 0.32 m입니다. 찬영이가 가지고 있는 리본의 길이는 혜진이가 가지고 있는 리본의 길이의 몇 배인지 구하시오.

| 문제 이해 |

몇 배 ⇨ $6.72\div0.32$

| 해결 과정 |

$6.72\div0.32=\frac{672}{100}\div\frac{32}{100}=672\div32=21$

따라서 찬영이가 가지고 있는 리본의 길이는 혜진이가 가지고 있는 리본의 길이의 ☐배입니다.

08 예진이는 16.8 kg의 사과를 샀고 예원이는 2.4 kg의 사과를 샀습니다. 예진이가 산 사과의 무게는 예원이가 산 사과의 무게의 몇 배인지 구하시오.

| 문제 이해 |

몇 배 ⇨ ____________________

| 해결 과정 |

09 물 20.8 L를 물통 하나에 1.6 L씩 나누어 담으려고 합니다. 몇 개의 물통에 나누어 담을 수 있는지 구하시오.

| 문제 이해 |

1.6 L씩 나누어 담는다 ⇨ 1.6으로 나눈다.

| 해결 과정 |

$20.8\div1.6=\frac{208}{10}\div\frac{16}{10}=208\div16=13$

따라서 ☐개의 물통에 나누어 담을 수 있습니다.

10 주스 7.44 L를 컵 하나에 0.31 L씩 나누어 담으려고 합니다. 몇 개의 컵에 나누어 담을 수 있는지 구하시오.

| 문제 이해 |

0.31 L씩 나누어 담는다 ⇨ ____________________

| 해결 과정 |

11 길이가 44.8 m인 직선 도로의 한 쪽에 시작과 끝을 포함하여 2.8 m 간격으로 나무를 심으려고 합니다. 필요한 나무는 모두 몇 그루인지 구하시오. (단, 나무의 두께는 생각하지 않습니다.)

| 문제 이해 |

필요한 나무의 수

⇨ (도로 한 쪽의 길이)÷(나무 사이의 간격)+1

| 해결 과정 |

$44.8\div2.8=\frac{448}{10}\div\frac{28}{10}=448\div28=16$

따라서 필요한 나무는 16+1=☐(그루)입니다.

12 길이가 5.18 km인 직선 도로의 한 쪽에 시작과 끝을 포함하여 0.14 km 간격으로 가로등을 세우려고 합니다. 필요한 가로등은 모두 몇 개인지 구하시오. (단, 가로등의 두께는 생각하지 않습니다.)

| 문제 이해 |

필요한 가로등의 수

⇨ ____________________

| 해결 과정 |

스스로 푸는 서술형

13 계산에서 잘못된 부분을 찾아 그 이유를 설명하고, 바르게 계산하시오.

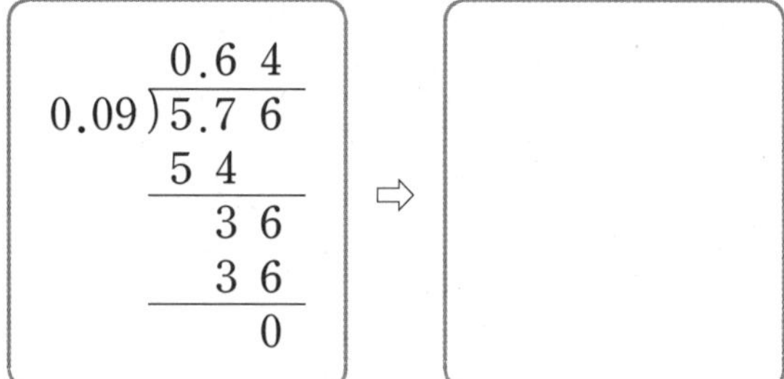

| 해결 과정 |

답

14 0.18을 어떤 수로 나누어야 하는데 잘못하여 곱하였더니 7.56이 되었습니다. 어떤 수를 구하시오.

| 해결 과정 |

답

15 집에서 학교까지의 거리는 3.52 km이고 집에서 도서관까지의 거리는 0.44 km입니다. 집에서 학교까지의 거리는 집에서 도서관까지의 거리의 몇 배인지 구하시오.

| 해결 과정 |

답

16 □ 안에 들어갈 수 있는 자연수는 모두 몇 개인지 구하시오.

$$5.67 \div 0.81 < \square < 92.3 \div 7.1$$

| 해결 과정 |

답

07 (소수)÷(소수) (3)

우리는 앞 단원에서 1.26÷0.14와 같이 자릿수가 같은 (소수)÷(소수)를 계산하는 방법을 알아보았습니다. 자릿수가 같은 (소수)÷(소수)는 분수의 나눗셈으로 계산하거나 나누는 수와 나누어지는 수의 소수점을 같은 자리만큼 옮겨 세로로 계산하였습니다.

0.14)1.26 ⇩ 14)126, 몫 9, 126, 0

그렇다면 3.45÷1.5와 같이 자릿수가 다른 (소수)÷(소수)는 어떻게 계산할까요? 자릿수가 다른 (소수)÷(소수)는 나누는 수가 자연수가 되도록 10배 또는 100배 하여 나누는 수와 나누어지는 수의 소수점을 오른쪽으로 같은 자리만큼 옮겨서 세로로 다음과 같이 계산합니다.

이때 몫의 소수점은 나누어지는 수의 옮긴 소수점과 같은 위치에 찍습니다.

나누는 수와 나누어지는 수를 10배 하여 34.5÷15로 계산	나누는 수와 나누어지는 수를 100배 하여 345÷150으로 계산
1.5)3.45 ⇨ 15)34.5, 몫 2.3 30 45 45 0 소수점을 오른쪽으로 한 자리씩 옮깁니다.	1.50)3.45 ⇨ 150)345, 몫 2.3 300 450 450 0 소수점을 오른쪽으로 두 자리씩 옮깁니다.
⇨ 34.5÷15와 3.45÷1.5의 몫은 같습니다.	⇨ 345÷150과 3.45÷1.5의 몫은 같습니다.

1.5와 같이 소수 한 자리 수를 100배 한 경우에는 가장 마지막 수의 끝에 0을 적어 나타냅니다.

여기서 자릿수가 다른 (소수)÷(소수)는 어떤 상황에서 나타나는지 알아봅시다.

□ 안에 알맞은 수를 써넣으시오.

> 가로가 1.5 cm인 사진을 확대 복사하였더니 가로가 7.05 cm인 사진이 되었습니다. 확대 복사한 사진의 가로는 처음 사진의 가로의 몇 배일까요?

7.05÷1.5의 몫은 705÷150의 몫과 같고 705÷150=4.7이므로 확대 복사한 사진의 가로는 처음 사진의 가로의 □배입니다.

답 4.7

풍산자 비법

자릿수가 다른 (소수)÷(소수) ⇨ 세로 계산에서 나누는 수가 자연수가 되도록 소수점을 옮겨서 계산한다.

따라 푸는 서술형

01 $3.23 \div 1.7$을 두 가지 방법으로 계산하고, 그 결과를 비교하시오.

| 해결 과정 |

[방법 1] 나누는 수와 나누어지는 수에 10배 하기

$3.23 \div 1.7 \Rightarrow 32.3 \div 17 = 1.9$

[방법 2] 나누는 수와 나누어지는 수에 100배 하기

$3.23 \div 1.7 \Rightarrow 323 \div 170 = 1.9$

따라서 두 가지 방법으로 계산한 결과는 ☐.

02 $6.88 \div 1.6$을 두 가지 방법으로 계산하고, 그 결과를 비교하시오.

| 해결 과정 |

03 큰 수를 작은 수로 나눈 몫을 구하시오.

5.7	0.38

| 해결 과정 |

큰 수는 5.7, 작은 수는 0.38이므로 큰 수를 작은 수로 나눈 몫은

$5.7 \div 0.38 = \frac{570}{100} \div \frac{38}{100} = 570 \div 38 =$ ☐

입니다.

04 큰 수를 작은 수로 나눈 몫을 구하시오.

3.78	0.9

| 해결 과정 |

05 계산 결과를 비교하여 ○ 안에 >, =, <를 알맞게 써넣으시오.

$5.94 \div 0.9$ ○ $7.41 \div 1.3$

| 해결 과정 |

$5.94 \div 0.9 = \frac{594}{100} \div \frac{90}{100} = 594 \div 90 = 6.6$

$7.41 \div 1.3 = \frac{741}{100} \div \frac{130}{100} = 741 \div 130 = 5.7$

따라서 ○ 안에 알맞은 것은 ☐입니다.

06 계산 결과를 비교하여 ○ 안에 >, =, <를 알맞게 써넣으시오.

$5.28 \div 1.6$ ○ $3.68 \div 0.8$

| 해결 과정 |

따라 푸는 문장제 서술형

07 30.6 m의 리본을 0.51 m씩 자르려고 합니다. 리본은 몇 도막이 되는지 구하시오.

| 문제 이해 |

0.51 m씩 자른다 ⇨ 0.51로 나눈다.

| 해결 과정 |

$30.6 \div 0.51 = \frac{3060}{100} \div \frac{51}{100} = 3060 \div 51 = 60$

따라서 리본은 ☐ 도막이 됩니다.

08 14.4 m의 색 테이프를 0.18 m씩 자르려고 합니다. 색 테이프는 몇 도막이 되는지 구하시오.

| 문제 이해 |

0.18 m씩 자른다 ⇨ ________

| 해결 과정 |

09 넓이가 31.96 cm^2인 직사각형이 있습니다. 이 직사각형의 가로가 6.8 cm일 때, 세로는 몇 cm인지 구하시오.

| 문제 이해 |

직사각형의 넓이 ⇨ (가로)×(세로)

| 해결 과정 |

세로를 ☐ cm라고 하면 $6.8 \times \square = 31.96$

$\square = 31.96 \div 6.8 = \frac{3196}{100} \div \frac{680}{100}$

$= 3196 \div 680 = 4.7$

따라서 직사각형의 세로는 ☐ cm입니다.

10 넓이가 11.75 cm^2인 직사각형이 있습니다. 이 직사각형의 세로가 4.7 cm일 때, 가로는 몇 cm인지 구하시오.

| 문제 이해 |

직사각형의 넓이 ⇨ ________

| 해결 과정 |

11 딸기 한 상자의 무게는 4.08 kg이고 방울토마토 한 상자의 무게는 3.4 kg입니다. 딸기 한 상자의 무게는 방울토마토 한 상자의 무게의 몇 배인지 구하시오.

| 문제 이해 |

몇 배 ⇨ $4.08 \div 3.4$

| 해결 과정 |

$4.08 \div 3.4 = \frac{408}{100} \div \frac{340}{100} = 408 \div 340 = 1.2$

따라서 딸기 한 상자의 무게는 방울토마토 한 상자의 무게의 ☐ 배입니다.

12 수정이네 강아지의 몸무게는 7.74 kg이고 지민이네 강아지의 몸무게는 4.3 kg입니다. 수정이네 강아지의 몸무게는 지민이네 강아지의 몸무게의 몇 배인지 구하시오.

| 문제 이해 |

몇 배 ⇨ ________

| 해결 과정 |

스스로 푸는 서술형

13 계산 결과가 큰 것부터 차례대로 기호를 쓰시오.

㉠	㉡	㉢
$8.64 \div 1.6$	$11.96 \div 5.2$	$5.67 \div 0.9$

| 해결 과정 |

답

14 계산에서 잘못된 부분을 찾아 그 이유를 설명하고, 바르게 계산하시오.

$$5.36 \div 0.8 = \frac{536}{100} \div \frac{8}{10} = 536 \div 8 = 67$$

| 해결 과정 |

답

15 5장의 수 카드 7, 6, 2, 8, 4를 한 번씩만 사용하여 나눗셈식을 만들려고 합니다. 몫이 가장 큰 나눗셈식을 만들고 그 몫을 구하시오.

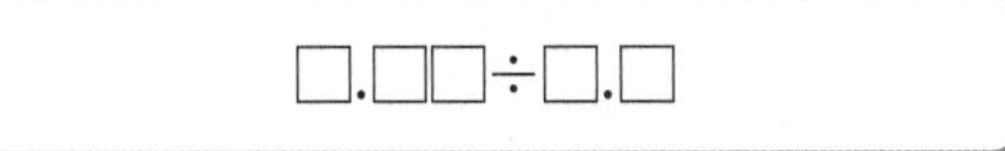

| 해결 과정 |

답

16 휘발유 2.1 L로 24.15 km를 가는 자동차가 있습니다. 휘발유 1 L의 가격이 1800원이라면 이 자동차가 80.5 km 가는 데 필요한 휘발유의 가격은 얼마인지 구하시오.

| 해결 과정 |

답

08 (자연수)÷(소수)

우리는 앞 단원에서 17.28÷2.7과 같이 자릿수가 다른 (소수)÷(소수)를 계산하는 방법을 알아보았습니다. 자릿수가 다른 (소수)÷(소수)는 나누는 수가 자연수가 되도록 10배 또는 100배 하여 나누는 수와 나누어지는 수의 소수점을 오른쪽으로 같은 자리만큼 옮겨서 세로로 계산하였습니다.

```
2.7)17.28
    ⇩
      6.4
27)172.8
   162
    108
    108
      0
```

그렇다면 14÷3.5, 4÷0.25와 같은 (자연수)÷(소수)는 어떻게 계산할까요?
(자연수)÷(소수)는 소수를 분모가 10 또는 100인 분수로 고쳐서 분수의 나눗셈으로 계산하거나 나누는 수가 자연수가 되도록 나누는 수와 나누어지는 수를 10배 또는 100배 하여 소수점을 각각 오른쪽으로 한 자리 또는 두 자리씩 옮겨서 세로로 다음과 같이 계산합니다.

(자연수)÷(소수 한 자리 수)

$14\div3.5=\frac{140}{10}\div\frac{35}{10}$
$=140\div35=4$

```
                  4
3.5)14.0  ⇨  35)140
                140
                  0
```

(자연수)÷(소수 두 자리 수)

$4\div0.25=\frac{400}{100}\div\frac{25}{100}$
$=400\div25=16$

```
                   16
0.25)4.00  ⇨  25)400
                 25
                 150
                 150
                   0
```

세로 계산에서 소수점을 옮긴 자릿수만큼 나누어지는 수의 오른쪽 끝에 0을 붙인 후 계산합니다.

여기서 (자연수)÷(소수)는 어떤 상황에서 나타나는지 알아봅시다. □ 안에 알맞은 수를 써넣으시오.

> 밀가루 1.5 kg의 가격은 6000원입니다. 밀가루 1 kg은 얼마일까요?

$6000\div1.5=\frac{60000}{10}\div\frac{15}{10}=60000\div15=4000$이므로 밀가루 1 kg은 □원입니다.

답 4000

풍산자 비법

(자연수)÷(소수) ⇨ 자연수의 오른쪽에 소수점과 0이 있는 것으로 생각하고 세로 계산에서 소수점을 옮긴다.

따라 푸는 서술형

01 24÷0.6을 분수의 나눗셈으로 바꾸어 계산한 결과와 세로로 계산한 결과를 비교하시오.

| 해결 과정 |

$24 \div 0.6 = \frac{240}{10} \div \frac{6}{10}$

$= 240 \div 6$

$= 40$

$$\begin{array}{r} 40 \\ 0.6\overline{)24.0} \\ \underline{24} \\ 0 \end{array}$$

따라서 두 가지 방법으로 계산한 결과는 □.

02 85÷0.05를 분수의 나눗셈으로 바꾸어 계산한 결과와 세로로 계산한 결과를 비교하시오.

| 해결 과정 |

03 자연수를 소수로 나눈 몫을 구하시오.

11	2.2

| 해결 과정 |

자연수는 11, 소수는 2.2이므로

$11 \div 2.2 = \frac{110}{10} \div \frac{22}{10} = 110 \div 22 =$ □

입니다.

04 자연수를 소수로 나눈 몫을 구하시오.

20	1.25

| 해결 과정 |

05 계산 결과를 비교하여 ○ 안에 >, =, <를 알맞게 써넣으시오.

24÷4.8 ○ 15÷2.5

| 해결 과정 |

$24 \div 4.8 = \frac{240}{10} \div \frac{48}{10} = 240 \div 48 = 5$

$15 \div 2.5 = \frac{150}{10} \div \frac{25}{10} = 150 \div 25 = 6$

따라서 ○ 안에 알맞은 것은 □입니다.

06 계산 결과를 비교하여 ○ 안에 >, =, <를 알맞게 써넣으시오.

34÷8.5 ○ 14÷2.8

| 해결 과정 |

따라 푸는 문장제 서술형

07 호떡 1개를 만드는 데 설탕 1.2컵이 필요합니다. 설탕 48컵으로 호떡을 몇 개 만들 수 있는지 구하시오.

| 문제 이해 |

설탕 48컵으로 만들 수 있는 호떡의 수 ⇨ $48 \div 1.2$

| 해결 과정 |

$48 \div 1.2 = \frac{480}{10} \div \frac{12}{10} = 480 \div 12 = 40$

따라서 호떡을 ☐개 만들 수 있습니다.

08 머핀 1개를 만드는 데 설탕 2.1컵이 필요합니다. 설탕 63컵으로 머핀을 몇 개 만들 수 있는지 구하시오.

| 문제 이해 |

설탕 63컵으로 만들 수 있는 머핀의 수 ⇨ ______

| 해결 과정 |

09 리본 1.3 m의 가격은 2600원입니다. 리본 1 m의 가격은 얼마인지 구하시오.

| 문제 이해 |

리본 1 m의 가격 ⇨ (리본의 가격)÷(리본의 길이)

| 해결 과정 |

$2600 \div 1.3 = \frac{26000}{10} \div \frac{13}{10} = 26000 \div 13 = 2000$

따라서 리본 1 m의 가격은 ☐원입니다.

10 옷감 1.7 m의 가격은 6800원입니다. 옷감 1 m의 가격은 얼마인지 구하시오.

| 문제 이해 |

옷감 1 m의 가격 ⇨ ______

| 해결 과정 |

11 넓이가 42 cm^2인 평행사변형이 있습니다. 이 평행사변형의 높이가 8.4 cm일 때, 밑변은 몇 cm인지 구하시오.

| 문제 이해 |

평행사변형의 넓이 ⇨ (밑변)×(높이)

| 해결 과정 |

밑변을 ☐ cm라고 하면 $\square \times 8.4 = 42$

$\square = 42 \div 8.4 = \frac{420}{10} \div \frac{84}{10} = 420 \div 84 = 5$

따라서 평행사변형의 밑변은 ☐ cm입니다.

12 넓이가 78 cm^2인 평행사변형이 있습니다. 이 평행사변형의 밑변이 6.5 cm일 때, 높이는 몇 cm인지 구하시오.

| 문제 이해 |

평행사변형의 넓이 ⇨ ______

| 해결 과정 |

스스로 푸는 서술형

13 □ 안에 들어갈 수 있는 자연수는 모두 몇 개인지 구하시오.

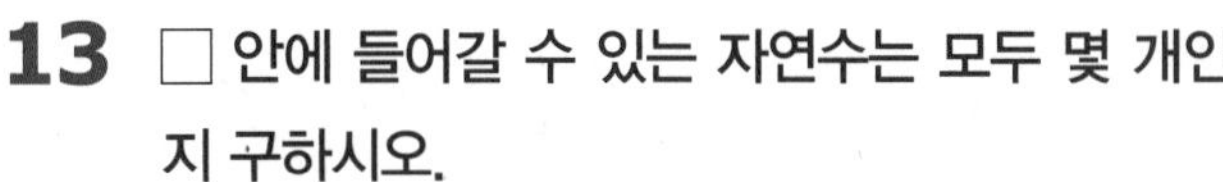

$36 \div 2.4 < \square < 33 \div 1.5$

| 해결 과정 |

답

14 어떤 수를 0.25로 나누어야 할 것을 잘못하여 곱하였더니 12가 되었습니다. 바르게 계산한 값은 얼마인지 구하시오.

| 해결 과정 |

답

15 잘못 계산한 곳을 찾아 그 이유를 설명하고, 바르게 계산하시오.

```
       8.5
0.4)3 4
    3 2
      2 0
      2 0
        0
```

⇨

| 해결 과정 |

답

16 길이가 0.189 km인 길 양 쪽에 6.75 m 간격으로 나무를 심으려고 합니다. 길의 처음과 끝에도 나무를 심는다면 필요한 나무는 모두 몇 그루인지 구하시오. (단, 나무의 두께는 생각하지 않습니다.)

| 해결 과정 |

답

몫의 반올림과 나누어 주고 남는 양

우리는 [수학 5-2] 수의 범위와 어림하기에서 반올림을 알아보았습니다. 반올림은 구하려는 자리 바로 아래 자리의 숫자가 0, 1, 2, 3, 4이면 버리고 5, 6, 7, 8, 9이면 올리는 방법이었습니다.

3.164를 반올림하여 나타내기
- 자연수로 나타내면
  3.164 ⇨ 3
- 소수 첫째 자리까지 나타내면
  3.164 ⇨ 3.2
- 소수 둘째 자리까지 나타내면
  3.164 ⇨ 3.16

그렇다면 2.14÷0.6과 같이 몫이 간단한 소수로 구해지지 않는 나눗셈의 몫은 어떻게 나타낼까요?

나눗셈의 몫이 나누어떨어지지 않거나 간단한 소수로 구해지지 않고 너무 복잡해질 때에는 몫을 반올림하여 나타낼 수 있습니다. 이때 몫을 반올림하여 나타내려면 구하려는 자리 바로 아래 자리에서 반올림해야 합니다.

```
       3.5 6 6
0.6)2.1 4 0 0
    1 8
    ─────
      3 4
      3 0
      ─────
        4 0
        3 6
        ─────
          4 0
          3 6
          ─────
            4
```

- 몫을 반올림하여 자연수로 나타내기
  3.566…… ⇨ 4 (몫의 소수 첫째 자리에서 반올림합니다.)
- 몫을 반올림하여 소수 첫째 자리까지 나타내기
  3.566…… ⇨ 3.6 (몫의 소수 둘째 자리에서 반올림합니다.)
- 몫을 반올림하여 소수 둘째 자리까지 나타내기
  3.566…… ⇨ 3.57 (몫의 소수 셋째 자리에서 반올림합니다.)

여기서 소수의 나눗셈에서 남는 양은 어떤 상황에서 나타나는지 알아봅시다. □ 안에 알맞은 수를 써넣으시오.

> 우유 11.8 L를 한 사람에게 3 L씩 나누어 주려고 할 때, 나누어 줄 수 있는 사람 수와 남는 우유의 양은 얼마일까요?

[방법 1] 뺄셈식으로 계산

11.8−3−3−3=2.8이므로
11.8에서 3씩 3번 빼면
2.8이 남습니다.

[방법 2] 세로로 계산

```
      3      ← 몫
3)1 1.8
    9
  ─────
    2.8     ← 나머지
```

사람 수는 자연수로 나타나므로 11.8÷3의 몫을 자연수 부분까지만 구합니다.

즉, 우유는 11.8 L를 3 L씩 □명에게 나누어 줄 수 있고 남는 우유의 양은 □ L입니다.

답 3, 2.8

풍산자 비법

나눗셈의 몫이 나누어떨어지지 않거나 복잡해질 때에는 몫을 반올림하여 나타낸다.

따라 푸는 서술형

01 $1\div9$의 몫을 반올림하여 소수 첫째 자리까지 나타내시오.

| 해결 과정 |

$1\div9=0.11\cdots\cdots$이므로
반올림하여 소수 첫째 자리까지 나타내면 ☐입니다.

02 $2\div7$의 몫을 반올림하여 소수 첫째 자리까지 나타내시오.

| 해결 과정 |

03 계산 결과를 비교하여 ○ 안에 $>$, $=$, $<$를 알맞게 써넣으시오.

$73\div3$의 몫을 반올림하여 소수 첫째 자리까지 나타낸 수	○	$73\div3$

| 해결 과정 |

$73\div3=24.33\cdots\cdots$이므로
반올림하여 소수 첫째 자리까지 나타내면 24.3입니다.
따라서 ○ 안에 알맞은 것은 ☐입니다.

04 계산 결과를 비교하여 ○ 안에 $>$, $=$, $<$를 알맞게 써넣으시오.

$6.8\div9$의 몫을 반올림하여 소수 첫째 자리까지 나타낸 수	○	$6.8\div9$

| 해결 과정 |

05 $11.7\div4$의 몫을 자연수 부분까지 구하고, 나머지를 구하시오.

| 해결 과정 |

$11.7\div4=2\cdots3.7$이므로
몫을 자연수 부분까지 구하면 2이고 나머지는 ☐입니다.

06 $42.3\div8$의 몫을 자연수 부분까지 구하고, 나머지를 구하시오.

| 해결 과정 |

따라 푸는 문장제 서술형

07 은선이의 몸무게는 $35\ \mathrm{kg}$이고 은선이 어머니의 몸무게는 $52\ \mathrm{kg}$입니다. 어머니의 몸무게는 은선이의 몸무게의 몇 배인지 반올림하여 소수 둘째 자리까지 나타내시오.

| 문제 이해 |

몇 배 ⇨ $52 \div 35$

| 해결 과정 |

$52 \div 35 = 1.485 \cdots\cdots$이므로
반올림하여 소수 둘째 자리까지 나타내면 어머니의 몸무게는 은선이의 몸무게의 ☐배입니다.

08 지원이의 몸무게는 $54\ \mathrm{kg}$이고 정호의 몸무게는 $47\ \mathrm{kg}$입니다. 지원이의 몸무게는 정호의 몸무게의 몇 배인지 반올림하여 소수 셋째 자리까지 나타내시오.

| 문제 이해 |

몇 배 ⇨ ____________________

| 해결 과정 |

09 쌀 $23.4\ \mathrm{kg}$을 한 봉지에 $4\ \mathrm{kg}$씩 나누어 담으려고 합니다. 나누어 담을 수 있는 봉지 수와 남는 쌀의 양을 구하시오.

| 문제 이해 |

$4\ \mathrm{kg}$씩 나누어 담는다 ⇨ 4로 나눈다.

| 해결 과정 |

$23.4 \div 4 = 5 \cdots 3.4$이므로
5봉지에 나누어 담을 수 있고 남는 쌀은 ☐ kg입니다.

10 콩 $34.9\ \mathrm{kg}$을 한 봉지에 $5\ \mathrm{kg}$씩 나누어 담으려고 합니다. 나누어 담을 수 있는 봉지 수와 남는 콩의 양을 구하시오.

| 문제 이해 |

$5\ \mathrm{kg}$씩 나누어 담는다 ⇨ ____________________

| 해결 과정 |

11 어떤 수를 0.7로 나누어야 하는데 잘못하여 7로 나누었더니 몫이 4, 나머지가 1.3이었습니다. 바르게 계산했을 때의 몫을 반올림하여 소수 첫째 자리까지 나타내시오.

| 문제 이해 |

어떤 수 ⇨ $4 \times 7 + 1.3$

| 해결 과정 |

어떤 수를 ☐라 하면 ☐$\div 7 = 4 \cdots 1.3$이므로
☐$= 4 \times 7 + 1.3 = 29.3$입니다.
따라서 바르게 계산하면 $29.3 \div 0.7 = 41.85 \cdots\cdots$
이므로 몫을 반올림하여 소수 첫째 자리까지 나타내면 ☐입니다.

12 어떤 수를 0.9로 나누어야 하는데 잘못하여 9로 나누었더니 몫이 7, 나머지가 0.11이었습니다. 바르게 계산했을 때의 몫을 반올림하여 소수 둘째 자리까지 나타내시오.

| 문제 이해 |

어떤 수 ⇨ ____________________

| 해결 과정 |

스스로 푸는 서술형

13 몫의 소수 아홉째 자리 숫자를 구하시오.

$98.2 \div 3$

| 해결 과정 |

답

14 몫을 반올림하여 소수 둘째 자리까지 나타내었을 때 몫이 가장 큰 것의 기호를 쓰시오.

㉠	㉡	㉢
$58.3 \div 4$	$12.5 \div 0.9$	$41.5 \div 3.3$

| 해결 과정 |

답

15 장거리 달리기 선수가 21.1 km를 78분 만에 완주했습니다. 이 선수가 일정한 빠르기로 달렸다면 1시간 동안 달린 거리는 몇 km인지 반올림하여 소수 첫째 자리까지 나타내시오.

| 해결 과정 |

16 딸기 32.4 kg을 한 사람당 6 kg씩 나누어 줄 때 나누어 줄 수 있는 사람 수와 남는 딸기는 몇 kg인지 알기 위해 다음과 같이 계산하였습니다. 잘못 계산한 곳을 찾아 바르게 계산하고, 이유를 쓰시오.

```
      5.4
  6)3 2.4
    3 0
    ----
      2 4
      2 4
    ----
        0
```

나누어 줄 수 있는 사람 수: 5명

남는 딸기의 양: 0.4 kg

| 해결 과정 |

답

단계별로, 문제해결 능력을 키우자!

지금까지 우리는 소수의 나눗셈을 배웠습니다.
힘들었을 텐데, 잘 풀었어요!

자, 그럼 마지막으로 지금까지 배운 소수의 나눗셈을 모두 이용해서 우리 함께 서술형 문제를 해결해 볼까요?
단계별로 문제를 해결하다 보면 어려운 서술형도 쉬워질 거예요.

털실로 목도리 한 개를 만드는 데 분홍색 실 7.5 m와 하얀색 실 2 m가 필요하다고 합니다. 분홍색 실 83.7 m로 목도리를 최대한 많이 만들 때 하얀색 실은 적어도 몇 m 필요한지 구하시오.

실타래 찾기 ▶ (가지고 있는 분홍색 실의 길이)÷(목도리 한 개를 만드는 데 필요한 분홍색 실의 길이)의 몫을 자연수까지 구한 값이 만들 수 있는 목도리의 수입니다.

실타래 풀기 ▶ **단계 1 :** 목도리를 최대 몇 개까지 만들 수 있는지 구합니다.

단계 2 : 필요한 하얀색 실은 적어도 몇 m인지 구합니다.

나만의 해설 쓰기 :

정답 :

3

공간과 입체

공부할 내용	공부한 날
10 위, 앞, 옆에서 본 모양	월 일
11 위에서 본 모양에 쓴 수	월 일
12 층별로 나타낸 모양	월 일

위, 앞, 옆에서 본 모양

우리는 **[수학 2-1]** 여러 가지 도형에서 쌓기나무로 여러 가지 모양을 만들어 보았습니다. 쌓기나무 4개를 2층으로 쌓아 모양을 만들면 오른쪽 그림과 같이 여러 가지 모양을 만들 수 있었습니다.

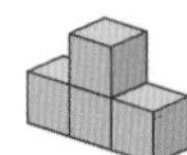 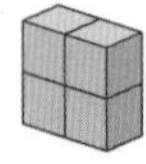 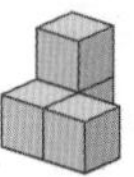

그렇다면 쌓기나무로 쌓은 모양은 어떻게 정확한 모양을 알 수 있을까요?

가

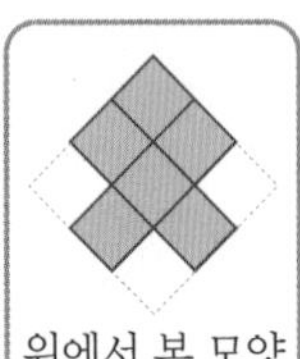
위에서 본 모양

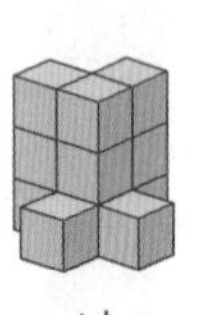
나

위에서 본 모양

가와 똑같은 모양으로 쌓는 데 필요한 쌓기나무는 14개입니다.

가는 위에서 본 모양을 알면 뒤에 숨겨진 쌓기나무를 나타낼 수 있어 쌓기나무로 쌓은 모양과 개수를 정확히 알 수 있습니다. **나**는 위에서 본 모양을 알아도 뒤에 보이지 않는 부분이 1개인지 2개인지 알 수 없기 때문에 쌓기나무로 쌓은 모양과 개수를 정확히 알 수 없습니다. 즉, 쌓기나무로 쌓은 모양과 위에서 본 모양으로는 쌓은 모양과 개수를 정확히 알 수 없는 경우도 있습니다.

뒤에 숨을 수 있는 쌓기나무 모양

다는 위, 앞, 옆에서 본 모양을 알면 쌓기나무로 쌓은 모양과 쌓기나무의 개수를 정확히 알 수 있습니다.

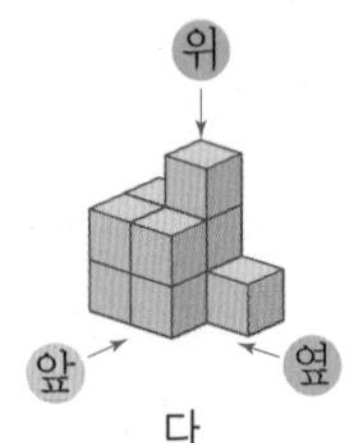

다

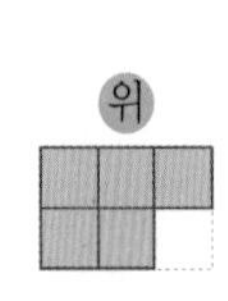

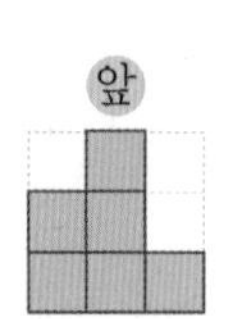

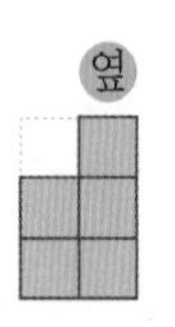

쌓기나무로 쌓은 모양을 위에서 본 모양은 바닥에 닿은 면의 모양과 같고, 앞에서 본 모양과 옆에서 본 모양은 각 방향에서 가장 높은 층의 모양과 같습니다.

여기서 쌓은 모양을 보고 구한 쌓기나무의 개수가 다른 경우를 알아봅시다. □ 안에 알맞은 것을 써넣으시오.

> 서진이와 지민이는 오른쪽 그림과 같이 쌓은 모양의 쌓기나무의 개수를 구하려고 합니다. 서진이는 9개, 지민이는 7개라고 하였습니다. 서진이와 지민이가 답한 쌓기나무의 개수는 왜 다를까요?
>
> 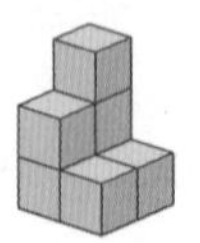

보는 방향에 따라 보이지 않는 쌓기나무가 있을 수 있으므로 쌓기나무의 개수가 서로 다를 수 있습니다. □, 앞, 옆에서 본 모양을 알면 정확한 쌓기나무의 개수를 알 수 있습니다.

답 위

풍산자 비법

위에서 본 모양은 바닥에 닿은 면의 모양과 같고
앞과 옆에서 본 모양은 각 방향에서 가장 높은 층의 모양과 같다.

따라 푸는 서술형

01 쌓기나무 8개로 만든 모양입니다. 위에서 본 모양을 그리시오.

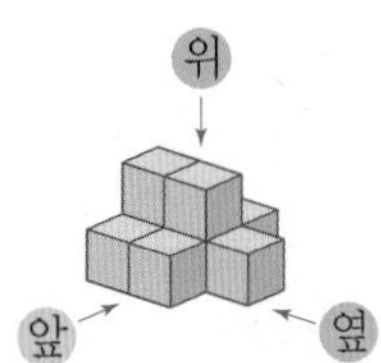

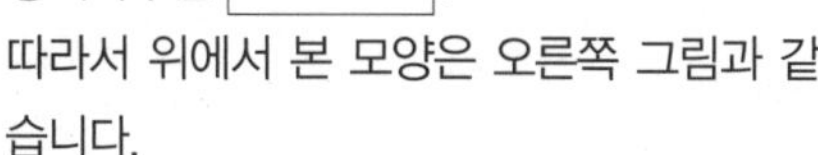

| 해결 과정 |

쌓기나무 8개로 쌓은 것이므로 뒤에 숨겨진 쌓기나무는 ☐.
따라서 위에서 본 모양은 오른쪽 그림과 같습니다.

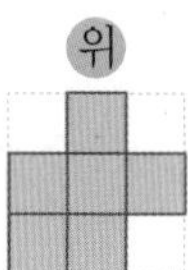

02 쌓기나무 7개로 만든 모양입니다. 위에서 본 모양을 그리시오.

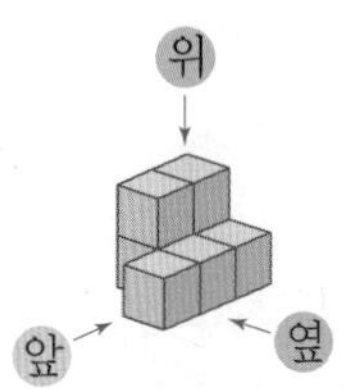

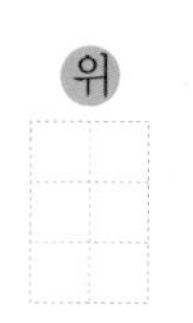

| 해결 과정 |

03 주어진 모양과 똑같이 쌓는 데 필요한 쌓기나무의 개수를 구하시오.

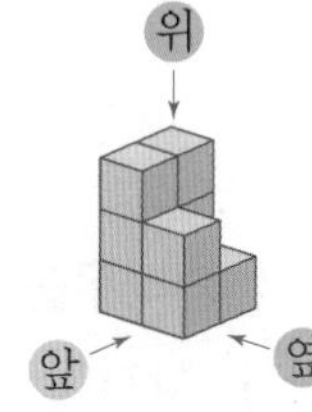

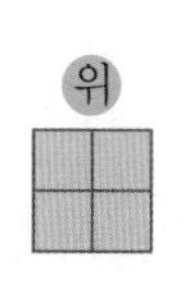

| 해결 과정 |

1층이 4개, 2층이 3개, 3층이 2개이므로 주어진 모양과 똑같이 쌓는 데 필요한 쌓기나무는 ☐개입니다.

04 주어진 모양과 똑같이 쌓는 데 필요한 쌓기나무의 개수를 구하시오.

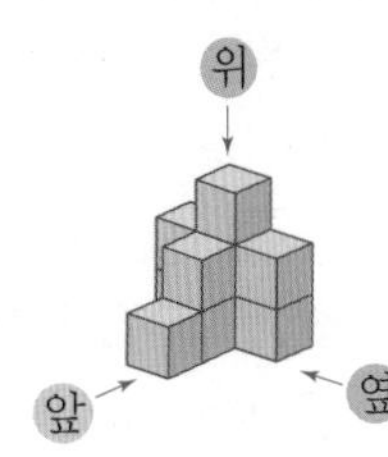

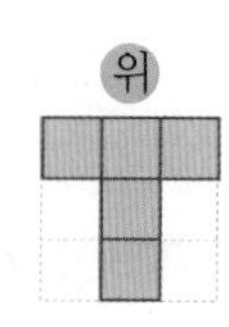

| 해결 과정 |

05 쌓기나무로 쌓은 모양과 이를 위에서 본 모양입니다. 앞에서 본 모양을 그리시오.

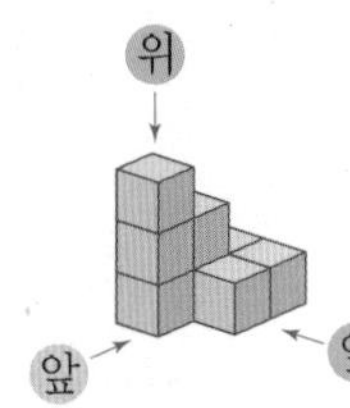

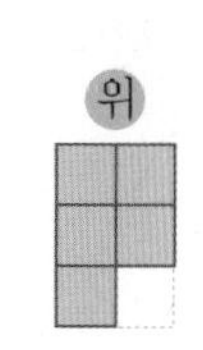

| 해결 과정 |

앞에서 본 모양은 각 줄에서 가장 높은 층수만큼 그리면 됩니다. 따라서 앞에서 본 모양은 오른쪽 그림과 같습니다.

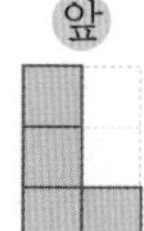

06 쌓기나무로 쌓은 모양과 이를 위에서 본 모양입니다. 옆에서 본 모양을 그리시오.

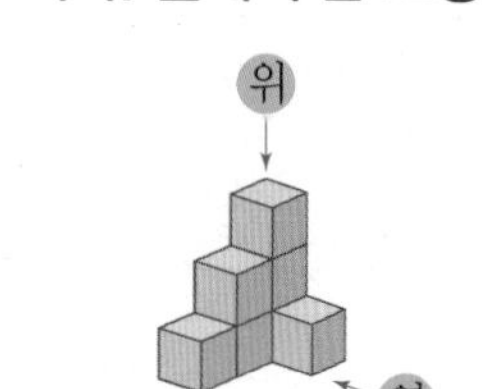

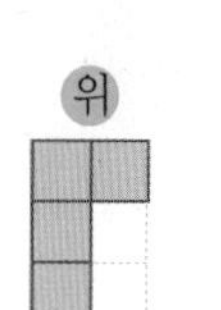

| 해결 과정 |

따라 푸는 문장제 서술형

07 쌓기나무로 쌓은 모양을 위, 앞, 옆에서 본 모양입니다. 똑같은 모양으로 쌓는 데 필요한 쌓기나무의 개수를 구하시오.

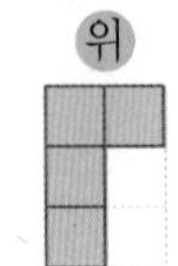

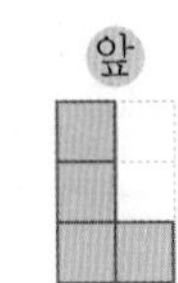

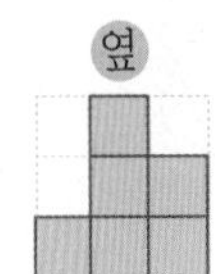

| 문제 이해 |

앞, 옆에서 본 모양
⇨ 각 방향에서 각 줄의 가장 높은 층수만큼 그린 모양

| 해결 과정 |

위

위에서 본 모양을 통해 1층의 쌓기나무는 4개입니다. 앞에서 본 모양을 통해 ☆ 부분은 쌓기나무가 1개이고, ○ 부분은 3개 이하입니다. 옆에서 본 모양을 통해 ○ 부분 중 △ 부분은 쌓기나무가 1개, □ 부분은 3개, ♡ 부분은 2개입니다.
따라서 똑같은 모양으로 쌓는 데 필요한 쌓기나무는 ☐개입니다.

08 쌓기나무로 쌓은 모양을 위, 앞, 옆에서 본 모양입니다. 똑같은 모양으로 쌓는 데 필요한 쌓기나무의 개수를 구하시오.

위 앞 앞

| 문제 이해 |

앞, 옆에서 본 모양
⇨ ______________________

| 해결 과정 |

09 구멍이 있는 상자에 쌓기나무를 붙여서 만든 모양을 넣으려고 합니다. 상자에 넣을 수 없는 모양의 기호를 쓰시오. (단, 뒤에 보이지 않는 부분에 쌓기나무는 없습니다.)

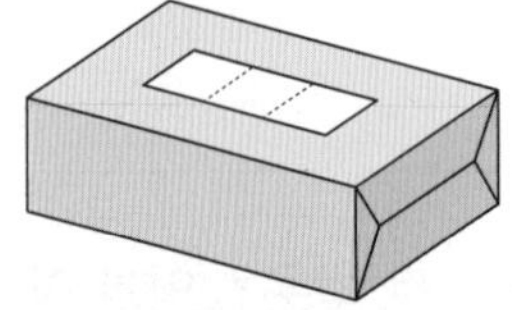

| 문제 이해 |

상자에 넣을 수 있는 모양
⇨ 쌓기나무 3개가 한 줄로 만들어진 모양

| 해결 과정 |

㉢을 넣기 위해서는 'ㄴ' 모양이나 'ㅁ' 모양의 구멍이 필요하기 때문에 ㉢은 상자에 넣을 수 없습니다.
따라서 상자에 넣을 수 없는 모양은 ☐입니다.

10 구멍이 있는 상자에 쌓기나무를 붙여서 만든 모양을 넣으려고 합니다. 상자에 넣을 수 없는 모양의 기호를 모두 쓰시오. (단, 뒤에 보이지 않는 부분에 쌓기나무는 없습니다.)

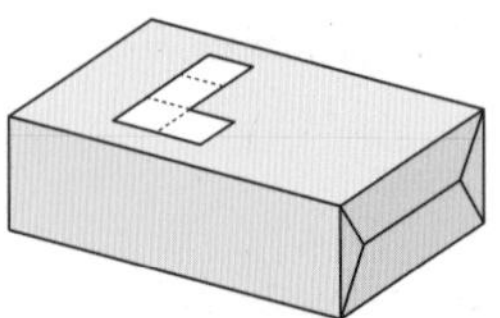

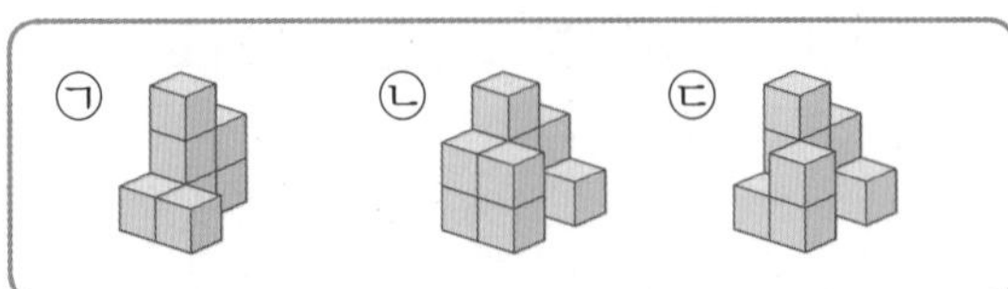

| 문제 이해 |

상자에 넣을 수 있는 모양 ⇨ ______________________

| 해결 과정 |

스스로 푸는 서술형

11 쌓기나무로 쌓은 모양을 위, 앞, 옆에서 본 모양입니다. 똑같은 모양으로 쌓는 데 필요한 쌓기나무의 개수를 구하시오.

위
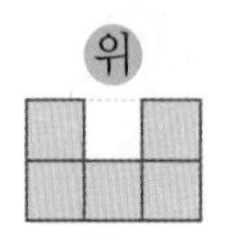
앞
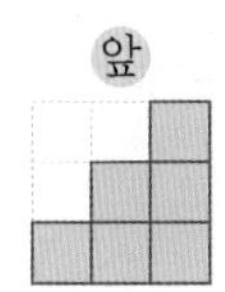
옆
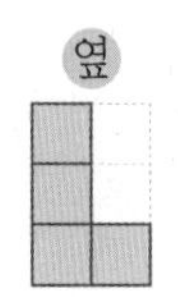

| 해결 과정 |

답

12 쌓기나무 13개로 만든 모양입니다. 위, 앞, 옆에서 본 모양을 각각 그리시오.

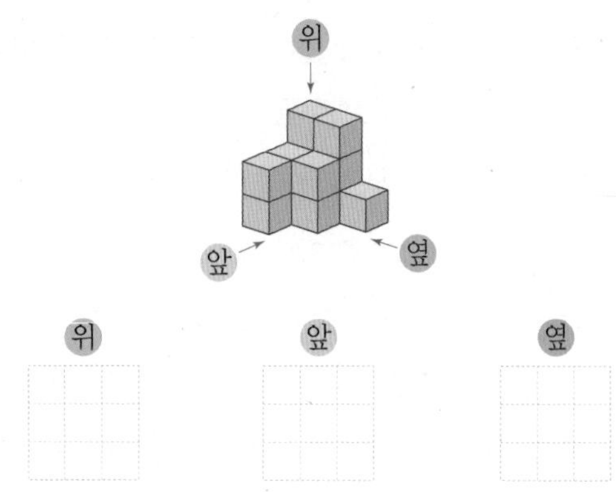

위 앞 옆

| 해결 과정 |

답

13 위에서 본 모양이 다른 하나를 찾아 기호를 쓰시오.

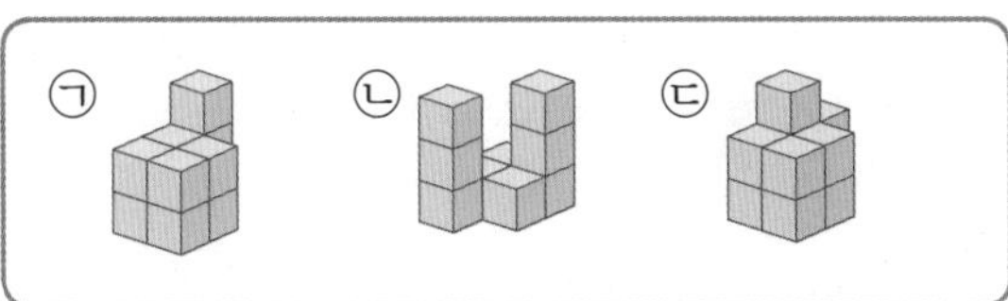

| 해결 과정 |

답

14 영미와 민주는 오른쪽 쌓기나무의 개수를 구하려고 합니다. 영미는 11개, 민주는 9개라고 답하였습니다. 영미와 민주가 답한 쌓기나무의 개수가 서로 다른 이유를 쓰시오.

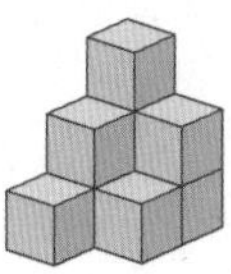

| 해결 과정 |

답

11 위에서 본 모양에 쓴 수

우리는 앞 단원에서 쌓기나무로 쌓은 모양과 위, 앞, 옆에서 본 모양을 보고 쌓은 모양과 쌓기나무의 개수를 알아보았습니다. 쌓기나무로 쌓은 모양을 위, 앞, 옆에서 본 모양으로 쌓은 모양과 쌓기나무의 개수를 정확히 알 수 있었습니다.

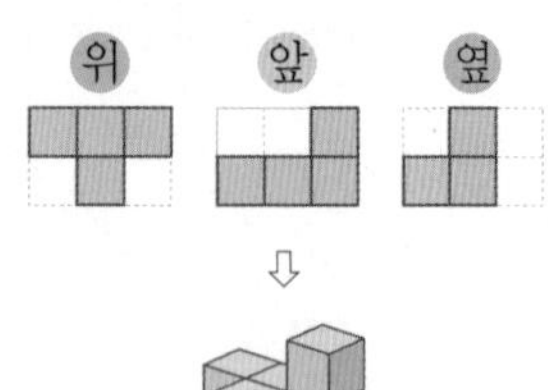

쌓기나무의 개수는 5개입니다.

그렇다면 쌓기나무로 쌓은 모양을 위, 앞, 옆에서 본 모양으로 쌓은 모양과 쌓기나무의 개수를 항상 정확하게 알 수 있을까요?
쌓기나무로 쌓은 모양을 위, 앞, 옆에서 본 모양을 보고 만든 쌓은 모양은 다음과 같이 다양한 경우가 있음을 확인할 수 있습니다.

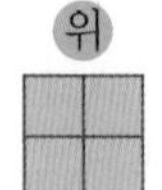

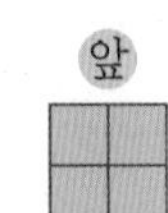

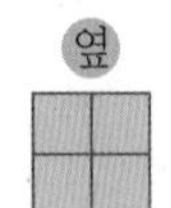

⇨ 예

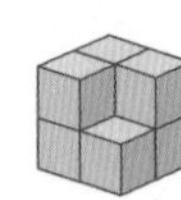
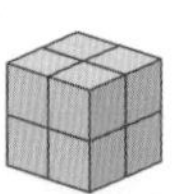

쌓기나무의 개수는 각각 6개, 7개, 8개입니다.

쌓기나무로 쌓은 모양을 나타낼 때 위, 앞, 옆에서 본 모양으로는 여러 가지 모양으로 쌓을 수도 있어서 쌓은 모양을 정확하게 알 수 없는 경우가 있습니다.

쌓은 모양과 쌓기나무의 개수가 한 가지만 나타나는 경우는 쌓기나무로 쌓은 모양을 위에서 본 모양의 각 자리에 쌓인 쌓기나무의 개수를 쓴 것을 보고 모양을 만드는 경우입니다. 이때 사용된 쌓기나무의 개수를 한 가지 경우로만 알 수 있기 때문에 쌓은 모양과 쌓기나무의 개수를 정확하게 알 수 있습니다.

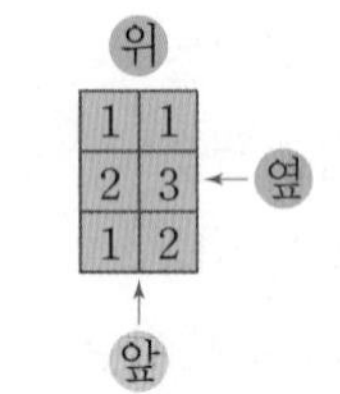

위에서 본 모양에 쌓은 쌓기나무의 개수를 쓴 것입니다.

⇨

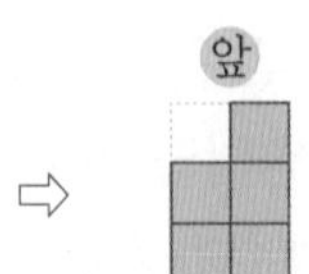

앞과 옆에서 본 모양입니다.

⇨

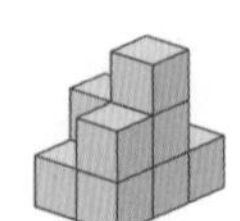
쌓은 모양이 한 가지로 나타납니다.

여기서 위에서 본 모양에 쓴 수를 보고 쌓기나무의 개수를 알아봅시다. □ 안에 알맞은 수를 써넣으시오.

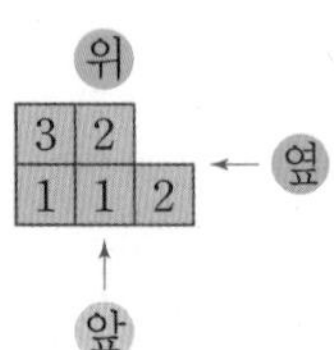

쌓기나무로 쌓은 모양을 위에서 본 모양에 쓰인 수를 모두 더하면 똑같은 모양으로 쌓는 데 필요한 쌓기나무의 개수를 구할 수 있습니다.
따라서 위에서 본 모양에 쓴 수가 왼쪽과 같은 쌓은 모양의 쌓기나무의 개수는
$3+2+1+1+2=$ □(개)입니다.

답 9

풍산자 비법

위에서 본 모양에 수를 쓴 것을 보고 쌓은 모양은 한 가지만 나타난다.

따라 푸는 서술형

01 쌓기나무로 쌓은 모양을 보고 위에서 본 모양에 수를 쓰시오.

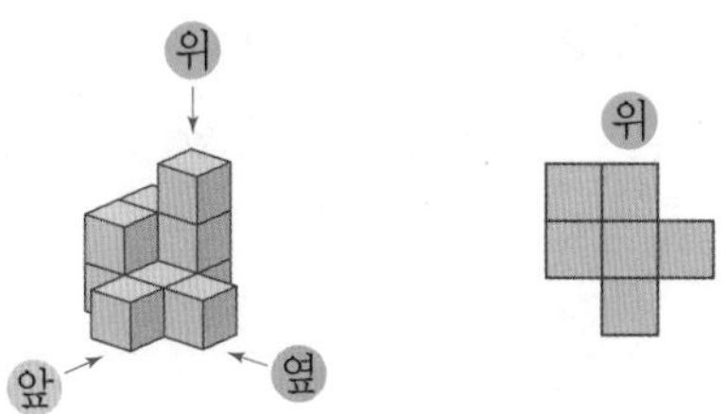

| 해결 과정 |

위에서 본 모양의 각 자리에 쌓인 쌓기나무의 개수를 세어 위에서 본 모양에 수를 씁니다.

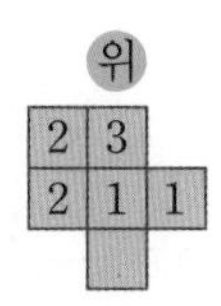

02 쌓기나무로 쌓은 모양을 보고 위에서 본 모양에 수를 쓰시오.

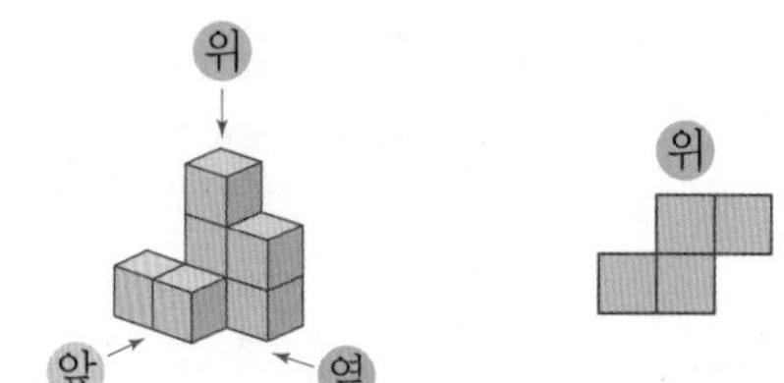

| 해결 과정 |

03 쌓기나무로 쌓은 모양을 보고 위에서 본 모양에 수를 썼습니다. 똑같은 모양으로 쌓는 데 필요한 쌓기나무는 몇 개인지 구하시오.

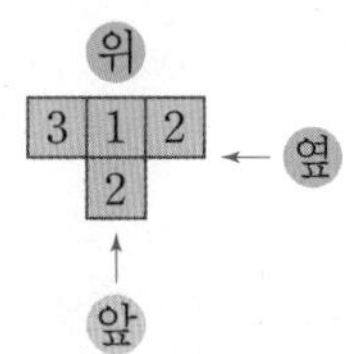

| 해결 과정 |

각 자리에 있는 숫자를 다 더하면 필요한 쌓기나무의 개수를 구할 수 있습니다.
따라서 필요한 쌓기나무는 $3+1+2+2=$ ☐ (개)입니다.

04 쌓기나무로 쌓은 모양을 보고 위에서 본 모양에 수를 썼습니다. 똑같은 모양으로 쌓는 데 필요한 쌓기나무는 몇 개인지 구하시오.

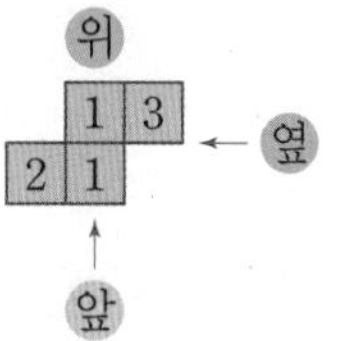

| 해결 과정 |

05 쌓기나무로 쌓은 모양을 보고 위에서 본 모양에 수를 썼습니다. 앞에서 본 모양을 그리시오.

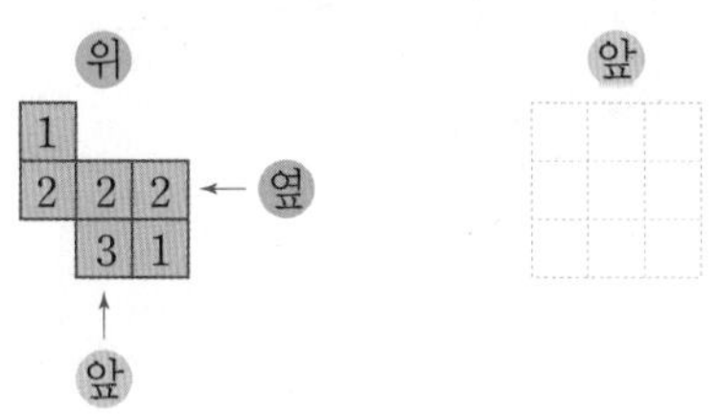

| 해결 과정 |

앞에서 본 방향에서 각 줄의 가장 높은 층수만큼 그리면 됩니다. 앞에서 본 각 줄의 가장 높은 층은 ☐, 3, 2이므로 앞에서 본 모양은 오른쪽 그림과 같습니다.

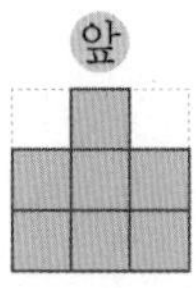

06 쌓기나무로 쌓은 모양을 보고 위에서 본 모양에 수를 썼습니다. 옆에서 본 모양을 그리시오.

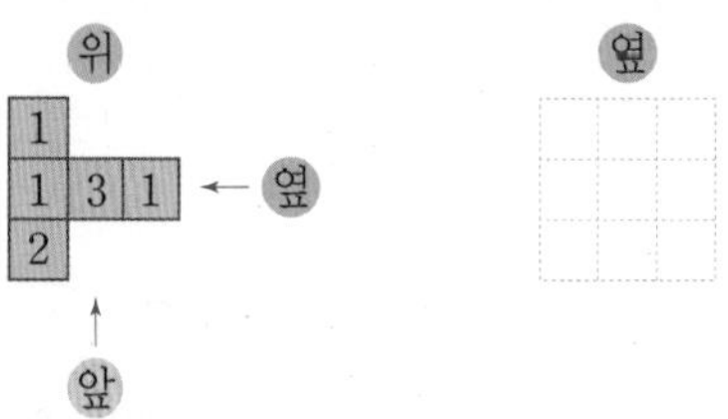

| 해결 과정 |

따라 푸는 문장제 서술형

07 위, 앞, 옆에서 본 모양이 다음과 같이 되도록 쌓기나무를 쌓았을 때, ㉠에는 몇 개의 쌓기나무가 놓이는지 구하시오.

위
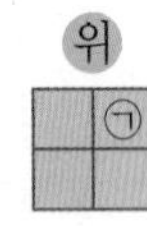

앞
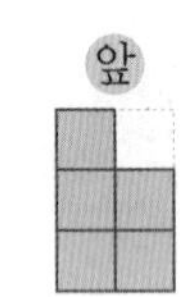
옆
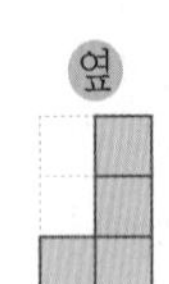

| 문제 이해 |

앞, 옆에서 본 모양
⇨ 각 방향에서 각 줄의 가장 높은 층수만큼 그린 모양

| 해결 과정 |

앞에서 보았을 때 ㉠이 있는 줄의 가장 높은 층수는 2층이고, 옆에서 보았을 때 ㉠이 있는 줄의 가장 높은 층수는 3층입니다.
따라서 ㉠에 놓인 쌓기나무는 ☐개입니다.

08 위, 앞, 옆에서 본 모양이 다음과 같이 되도록 쌓기나무를 쌓았을 때, ㉠에는 몇 개의 쌓기나무가 놓이는지 구하시오.

위
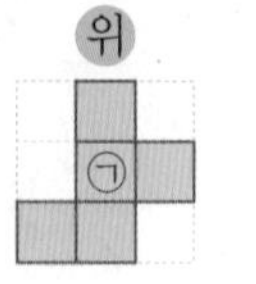

앞
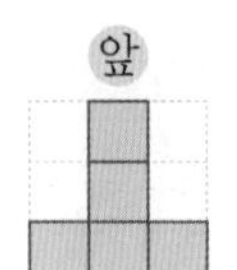
옆
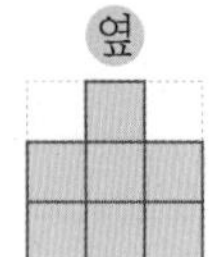

| 문제 이해 |

앞, 옆에서 본 모양
⇨ ______________________

| 해결 과정 |

09 쌓기나무를 쌓아 모양을 만들고 위에서 본 모양에 수를 썼습니다. 쌓기나무를 더 많이 사용하여 모양을 만든 학생은 누구인지 이름을 쓰시오.

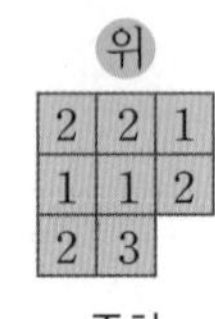

준하

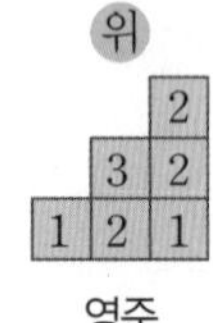

영준

| 문제 이해 |

사용한 쌓기나무의 수 ⇨ 각 자리에 있는 숫자의 합

| 해결 과정 |

준하가 사용한 쌓기나무는
$2+2+1+1+1+2+2+3=14$(개),
영준이가 사용한 쌓기나무는
$2+3+2+1+2+1=11$(개)입니다.
따라서 쌓기나무를 더 많이 사용하여 모양을 만든 학생은 ☐입니다.

10 쌓기나무를 쌓아 모양을 만들고 위에서 본 모양에 수를 썼습니다. 쌓기나무를 더 많이 사용하여 모양을 만든 학생은 누구인지 이름을 쓰시오.

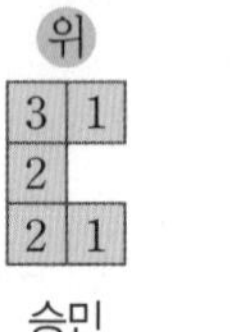

승민

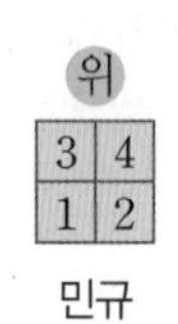

민규

| 문제 이해 |

사용한 쌓기나무의 수 ⇨ ______________________

| 해결 과정 |

스스로 푸는 서술형

11 쌓기나무로 쌓은 모양과 위에서 본 모양을 보고 ①번 자리와 ④번 자리에 쌓인 쌓기나무의 수의 합을 구하시오.

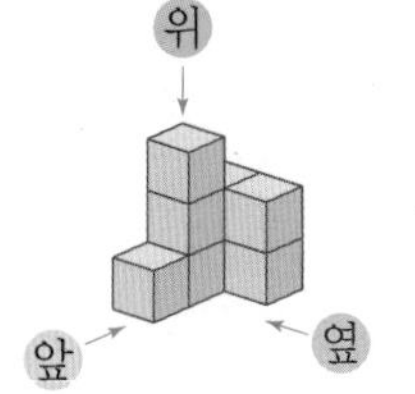

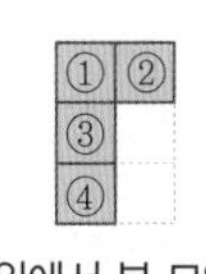

위에서 본 모양

| 해결 과정 |

답

12 쌓기나무로 쌓은 모양을 보고 위에서 본 모양에 수를 썼습니다. 쌓기나무 10개로 완성된 모양의 앞에서 본 모양을 그리시오.

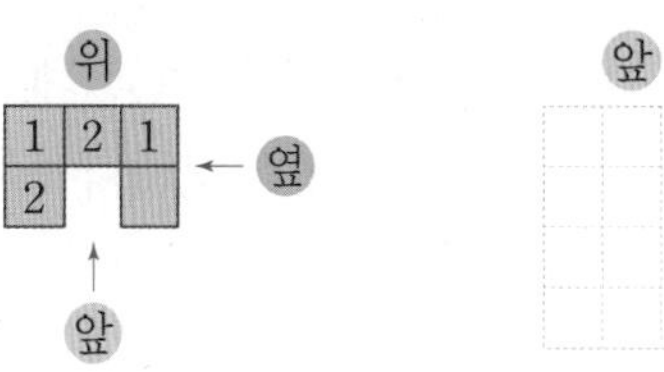

| 해결 과정 |

답

13 쌓기나무 8개를 사용하여 조건을 만족하도록 위에서 본 모양에 수를 써넣으시오.

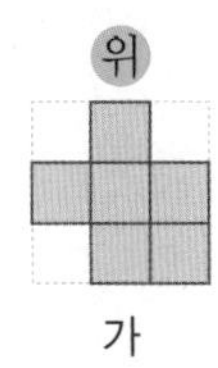

가

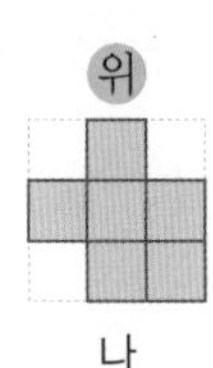

나

조건
- **가**와 **나**의 쌓은 모양은 서로 다릅니다.
- 위에서 본 모양이 서로 같습니다.
- 앞에서 본 모양이 서로 같습니다.
- 옆에서 본 모양이 서로 같습니다.

| 해결 과정 |

14 ㉡에 있는 쌓기나무를 ㉠ 위로 올려서 모양을 완성하였습니다. 완성한 모양을 보고 위에서 본 모양을 그리고 수를 써넣으시오.

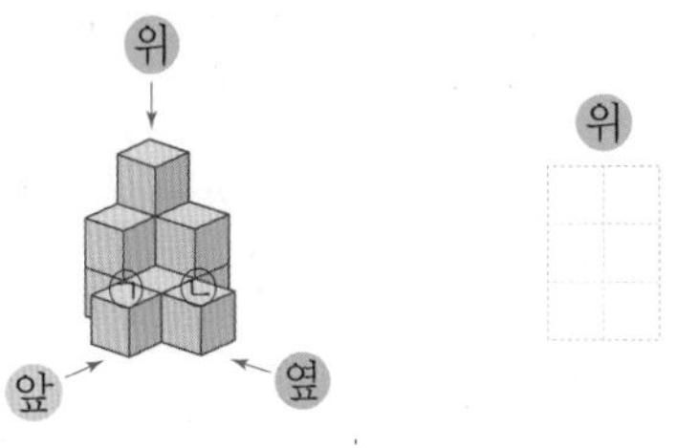

| 해결 과정 |

12 층별로 나타낸 모양

우리는 앞 단원에서 쌓기나무로 쌓은 모양을 정확하게 알 수 있는 방법을 알아보았습니다. 쌓기나무로 쌓은 모양을 위에서 본 모양의 각 자리에 쌓인 쌓기나무의 개수를 쓴 것을 보면 쌓은 모양과 쌓기나무의 개수를 정확하게 알 수 있었습니다.

그렇다면 쌓은 모양과 쌓기나무의 개수를 알 수 있는 다른 방법을 알아볼까요?
쌓기나무로 쌓은 모양은 다음과 같이 각 층별로 모양을 그릴 수 있습니다.
이때 1층 모양은 쌓은 모양을 위에서 본 모양과 같습니다.

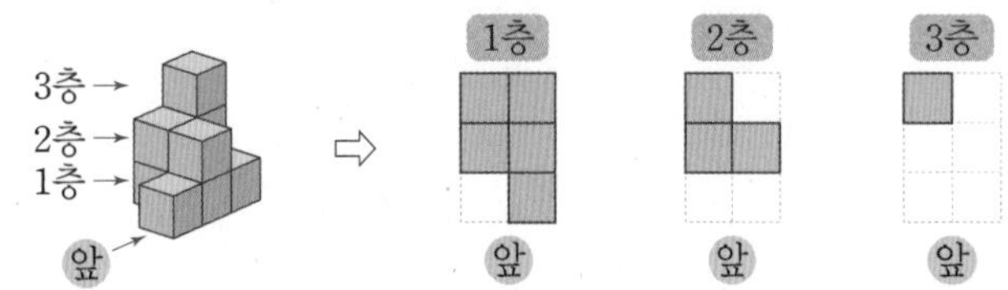

층별로 나타낸 모양대로 쌓기나무를 쌓으면 쌓은 모양이 하나로 만들어지기 때문에 층별로 나타낸 모양만으로 다음과 같이 쌓은 모양과 쌓기나무의 개수를 정확하게 알 수 있습니다.

쌓기나무로 쌓은 모양을 층별로 나타내면 각 층의 모양과 개수를 알 수 있습니다.

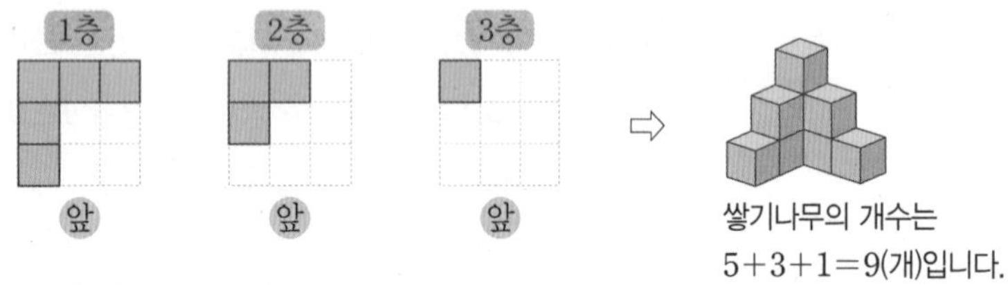

쌓기나무의 개수는 $5+3+1=9$(개)입니다.

여기서 쌓기나무로 여러 가지 모양을 만들어 봅시다. □ 안에 알맞은 수를 써넣으시오.

뒤집거나 돌려서 모양이 같으면 같은 모양입니다.

- 모양에 쌓기나무 1개를 더 붙여서 만들 수 있는 서로 다른 모양은 , , 로 모두 3가지입니다.
- 모양에 쌓기나무 1개를 더 붙여서 만들 수 있는 서로 다른 모양은

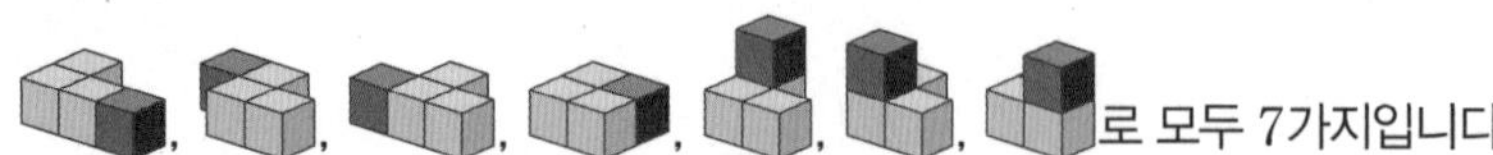

로 모두 7가지입니다.

- 쌓기나무 4개로 만들 수 있는 서로 다른 모양은 모두 □ 가지입니다.

답 8

쌓기나무로 쌓은 모양을 위에서 본 모양과 1층 모양은 서로 같다.

따라 푸는 서술형

01 쌓기나무로 쌓은 모양을 층별로 나타낸 모양을 보고 쌓은 모양을 찾아 기호를 쓰시오.

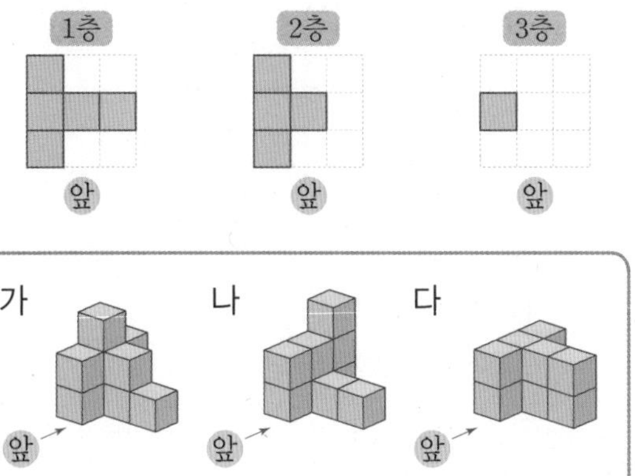

| 해결 과정 |

가, 나, 다 모두 1층 모양은 같습니다.
다는 3층이 없습니다.
2층 모양과 같이 쌓기나무로 쌓은 모양은 가입니다.
따라서 쌓은 모양은 ☐입니다.

02 쌓기나무로 쌓은 모양을 층별로 나타낸 모양을 보고 쌓은 모양을 찾아 기호를 쓰시오.

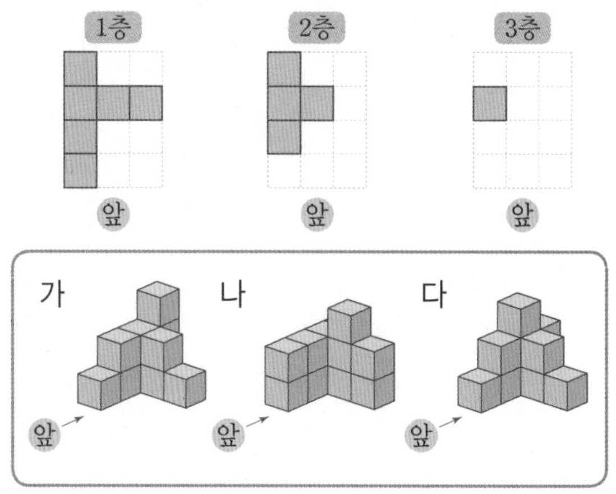

| 해결 과정 |

03 쌓기나무로 쌓은 모양을 층별로 나타낸 모양입니다. 위에서 본 모양에 수를 쓰는 방법으로 나타내고, 똑같은 모양으로 쌓는 데 필요한 쌓기나무의 개수를 구하시오.

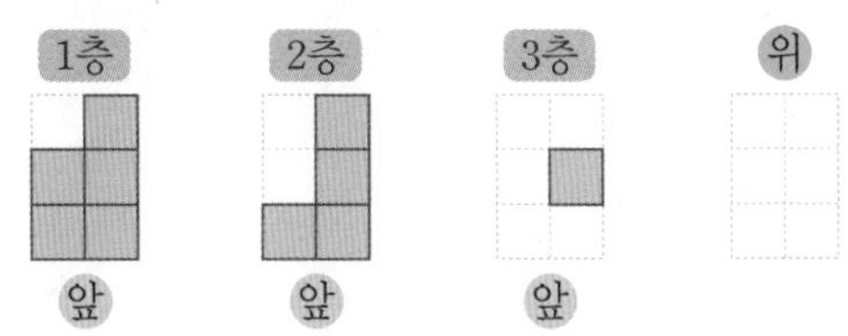

| 해결 과정 |

위에서 본 모양과 1층 모양은 서로 같습니다.
쌓기나무로 쌓은 모양을 층별로 나타낸 모양을 통해 위에서 본 모양에 수를 쓰면 오른쪽 그림과 같습니다.

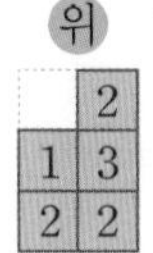

따라서 필요한 쌓기나무의 개수는
$2+1+3+2+2=$ ☐(개)입니다.

04 쌓기나무로 쌓은 모양을 층별로 나타낸 모양입니다. 위에서 본 모양에 수를 쓰는 방법으로 나타내고, 똑같은 모양으로 쌓는 데 필요한 쌓기나무의 개수를 구하시오.

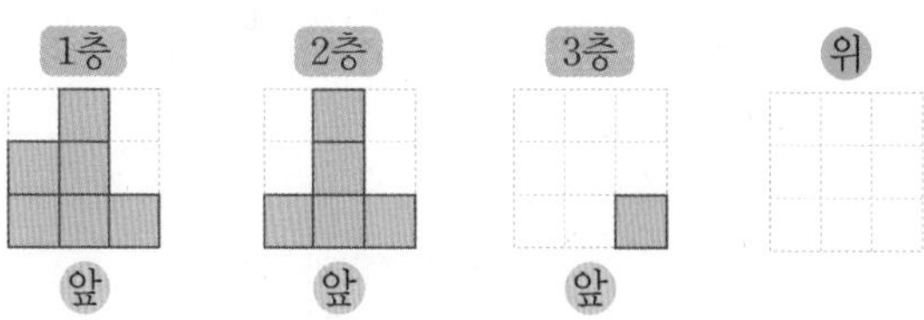

| 해결 과정 |

따라 푸는 문장제 서술형

05 쌓기나무로 쌓은 모양을 보고 위에서 본 모양에 수를 썼습니다. 2층에 놓인 쌓기나무는 모두 몇 개인지 구하시오.

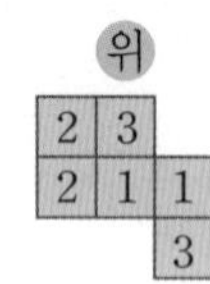

| 문제 이해 |

2층에 놓인 쌓기나무의 수
⇨ 각 칸에 쓰여진 수가 2 이상인 칸의 수

| 해결 과정 |

2층에 놓인 쌓기나무의 수를 알아보려면 그림에서 2층 이상으로 쌓아 올린 칸의 수를 확인하면 됩니다.
각 칸에 쓰여진 수가 2 이상인 칸은 4칸이므로 2층에 놓인 쌓기나무는 ☐개입니다.

06 쌓기나무로 쌓은 모양을 보고 위에서 본 모양에 수를 썼습니다. 3층에 놓인 쌓기나무는 모두 몇 개인지 구하시오.

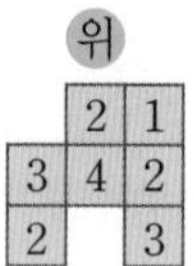

| 문제 이해 |

3층에 놓인 쌓기나무의 수
⇨ ______

| 해결 과정 |

07 쌓기나무로 쌓은 모양을 층별로 나타낸 모양입니다. 이를 보고 옆에서 본 모양을 그렸는데 잘못 그렸습니다. 그 이유를 설명하고 바르게 그리시오.

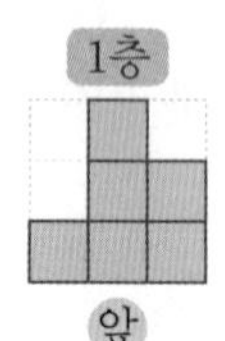

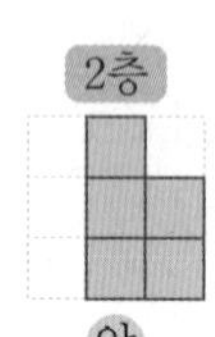

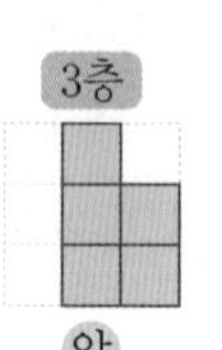

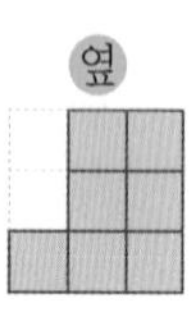

| 문제 이해 |

1층 모양 ⇨ 위에서 본 모양과 같습니다.
옆에서 본 모양 ⇨ 각 줄의 가장 높은 층수만큼 그린 모양

| 해결 과정 |

층별로 나타낸 모양을 보고 위에서 본 모양에 수를 쓰면 오른쪽 그림과 같습니다.
따라서 옆에서 본 각 줄의 가장 높은 층수는 ☐, 3, 3이므로 옆에서 본 모양을 바르게 그리면 오른쪽 그림과 같습니다.

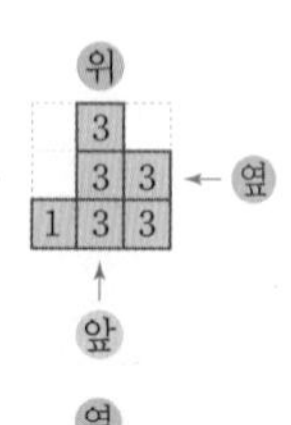

08 쌓기나무로 쌓은 모양을 층별로 나타낸 모양입니다. 이를 보고 앞에서 본 모양을 그렸는데 잘못 그렸습니다. 그 이유를 설명하고 바르게 그리시오.

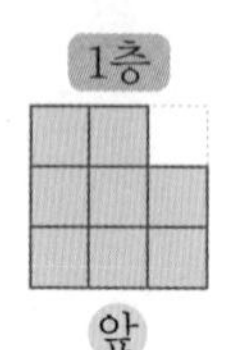

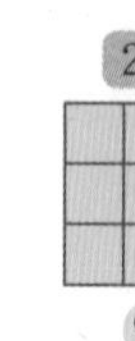

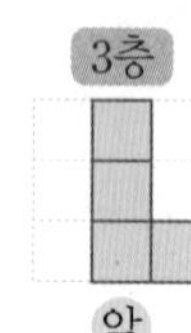

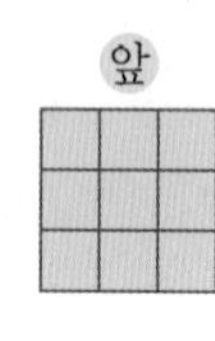

| 문제 이해 |

1층 모양 ⇨ ______
앞에서 본 모양 ⇨ ______

| 해결 과정 |

스스로 푸는 서술형

09 쌓기나무로 쌓은 모양과 1층 모양을 보고 2층과 3층 모양을 그리시오.

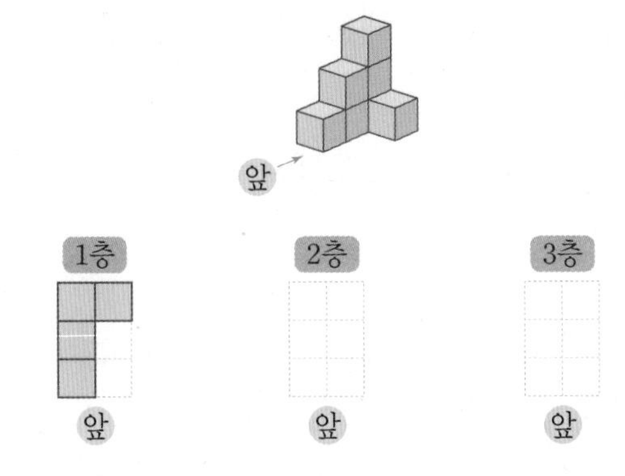

| 해결 과정 |

답

10 쌓기나무로 쌓은 모양을 보고 위에서 본 모양에 수를 썼습니다. 2층 모양을 그리시오.

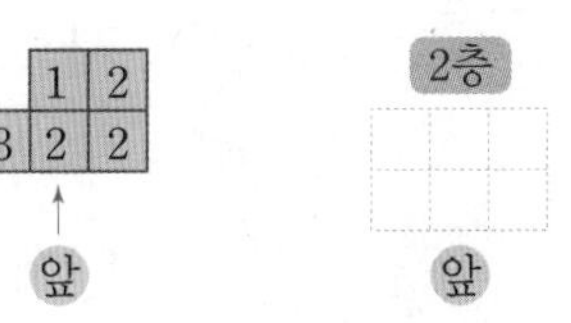

| 해결 과정 |

답

11 주어진 모양과 똑같은 모양으로 쌓기나무를 쌓으려고 합니다. 필요한 쌓기나무의 개수를 구하시오.

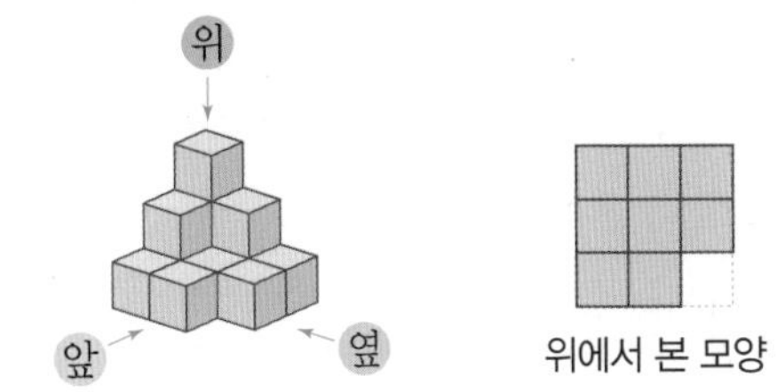

위에서 본 모양

| 해결 과정 |

답

12 쌓기나무로 1층 위에 2층과 3층을 쌓으려고 합니다. 1층 모양을 보고 2층과 3층으로 알맞은 모양을 각각 찾으시오.

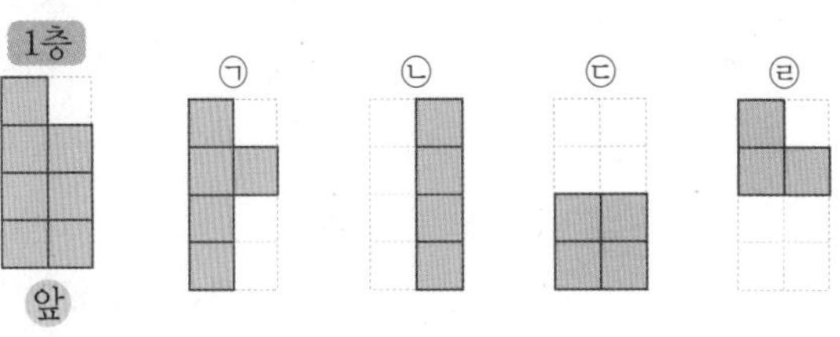

| 해결 과정 |

답

단계별로, 문제해결 능력을 키우자!

지금까지 우리는 공간과 입체를 배웠습니다.
힘들었을 텐데, 잘 풀었어요!

자, 그럼 마지막으로 지금까지 배운 공간과 입체를 모두 이용해서
우리 함께 서술형 문제를 해결해 볼까요?
단계별로 문제를 해결하다 보면 어려운 서술형도 쉬워질 거예요.

쌓기나무로 쌓은 모양을 위에서 본 모양의 각 자리에 쌓인 쌓기나무의 개수를 쓴 것입니다. 사각기둥 모양으로 쌓기나무를 쌓으려면 쌓기나무가 최소 몇 개가 더 필요한지 구하시오.

위

3	2	1
3	1	
1	2	

실타래 찾기 사각기둥이 되려면 가로, 세로에 각각 몇 줄, 높이가 몇 층이 되게 쌓아야 하는지 알아봅니다.

실타래 풀기 **단계 1 :** 주어진 모양과 똑같은 모양으로 쌓는 데 필요한 쌓기나무의 개수를 구합니다.

단계 2 : 사각기둥 모양으로 쌓기나무를 쌓으려면 가로, 세로에 각각 몇 줄, 높이가 몇 층이 되게 쌓아야 하는지 구합니다.

단계 3 : 더 필요한 쌓기나무는 몇 개인지 구합니다.

나만의 해설 쓰기 :

정답 :

비례식과 비례배분

공부할 내용	공부한 날
13 비의 성질	월 일
14 비례식	월 일
15 비례식의 성질	월 일
16 비례배분	월 일

13 비의 성질

우리는 **[수학 6-1]**에서 비와 비율을 알아보았습니다.

두 수 6과 10을 비교할 때 6 : 10이라 쓰고 6 대 10이라고 읽었습니다. 비 6 : 10을 비율로 나타내면 $\frac{6}{10}$ 또는 0.6입니다.

$(\text{비율})=\frac{(\text{비교하는 양})}{(\text{기준량})}$

그렇다면 비의 성질을 알아볼까요?

비 6 : 10에서 기호 : 앞에 있는 6을 **전항**, 뒤에 있는 10을 **후항**이라고 합니다.

비의 전항과 후항에 0이 아닌 같은 수를 곱하거나 나누어도 비율은 같습니다.

> 비 6 : 10의 비율은 $\frac{6}{10}$, 즉 $\frac{3}{5}$입니다.
> - 6 : 10의 전항과 후항에 2를 곱하면 12 : 20 ⇨ 비율은 $\frac{12}{20}$, 즉 $\frac{3}{5}$입니다.
> - 6 : 10의 전항과 후항을 2로 나누면 3 : 5 ⇨ 비율은 $\frac{3}{5}$입니다.

$\frac{3}{5}=\frac{6}{10}=\frac{12}{20}$

비의 성질을 이용하면 소수나 분수로 나타낸 비를 간단한 자연수의 비로 나타낼 수 있습니다.

> - 0.3 : 0.5 ⇨ 전항과 후항에 10을 곱하면 3 : 5
> - $\frac{1}{2}$: $\frac{1}{3}$ ⇨ 전항과 후항에 6을 곱하면 3 : 2

비가 소수 한 자리 수로 나타난 것은 각 항에 10을 곱하고, 비가 분수로 나타난 것은 각 항에 두 분모의 최소공배수를 곱합니다.

여기서 비의 성질이 어떤 상황에서 나타나는지 알아봅시다. □ 안에 알맞은 것을 써넣으시오.

> 우유 $1\frac{1}{4}$ L, 물 2.5 L가 있습니다. 우유의 양과 물의 양의 비를 가장 간단한 자연수의 비로 어떻게 나타낼까요?

(우유) : (물) ⇨ $1\frac{1}{4}$: 2.5 ⇨ $\frac{5}{4}$: $\frac{25}{10}$ ⇨ 전항과 후항에 20을 곱하면 25 : 50

⇨ 전항과 후항을 25로 나누면 1 : 2

따라서 우유의 양과 물의 양을 가장 간단한 자연수의 비로 나타내면 □ 입니다.

답 1 : 2

풍산자 비법 비의 전항과 후항에 0이 아닌 같은 수를 곱하거나 나누어도 비율은 같다.

따라 푸는 서술형

01 9 : 8과 비율이 같은 비를 3개 쓰시오.

| 해결 과정 |

비의 각 항에 0이 아닌 같은 수를 곱하여도 비율은 같습니다.
전항과 후항에 2를 곱하면 18 : 16,
전항과 후항에 3을 곱하면 27 : 24,
전항과 후항에 4를 곱하면 36 : 32
이므로 비율이 같은 비 3개는 18 : □, □ : 24, 36 : 32입니다.

02 24 : 36과 비율이 같은 비를 3개 쓰시오.

| 해결 과정 |

03 가장 간단한 자연수의 비로 나타내시오.

6.3 : 0.9

| 해결 과정 |

6.3 : 0.9의 전항과 후항에 10을 곱하면 63 : 9이고
63 : 9의 전항과 후항을 63과 9의 최대공약수인 9로 나누면 가장 간단한 자연수의 비로 나타낼 수 있습니다.
따라서 가장 간단한 자연수의 비로 나타내면 □ : □ 입니다.

04 가장 간단한 자연수의 비로 나타내시오.

$\frac{2}{3} : \frac{4}{5}$

| 해결 과정 |

05 가장 간단한 자연수의 비로 나타내었을 때, 전항이 33인 것의 기호를 쓰시오.

㉠ $\frac{3}{4} : \frac{5}{22}$

㉡ 34 : 66

| 해결 과정 |

㉠ 4와 22의 최소공배수인 44를 전항과 후항에 곱하면 33 : 10
㉡ 34와 66의 최대공약수인 2로 전항과 후항을 나누면 17 : 33
따라서 전항이 33인 것의 기호는 □입니다.

06 가장 간단한 자연수의 비로 나타내었을 때, 후항이 13인 것의 기호를 쓰시오.

㉠ $\frac{13}{10} : \frac{17}{5}$

㉡ 30 : 26

| 해결 과정 |

따라 푸는 문장제 서술형

07 가로와 세로의 비가 13 : 7인 직사각형 모양의 책상이 있습니다. 이 책상의 가로가 78 cm일 때, 세로는 몇 cm인지 구하시오.

| 문제 이해 |

비의 성질 ⇨ 비의 각 항에 0이 아닌 같은 수를 곱하여도 비율은 같다.

| 해결 과정 |

가로와 세로의 비인 13 : 7의 전항에 6을 곱하면 78이므로 후항에도 6을 곱하여야 합니다.
따라서 책상의 세로는 $7 \times 6 = \square$(cm)입니다.

08 가로와 세로의 비가 1 : 7인 직사각형 모양의 문이 있습니다. 이 문의 세로가 210 cm일 때, 가로는 몇 cm인지 구하시오.

| 문제 이해 |

비의 성질 ⇨ ______________________

| 해결 과정 |

09 주희와 지선이가 같은 책을 1시간 동안 읽었는데 각각 전체의 $\frac{1}{3}$, $\frac{2}{5}$를 읽었습니다. 주희와 지선이가 각각 1시간 동안 읽은 책의 양을 가장 간단한 자연수의 비로 나타내시오.

| 문제 이해 |

분수로 표현된 비를 가장 간단한 자연수의 비로 나타내기
⇨ 분모의 최소공배수를 각 항에 곱한다.

| 해결 과정 |

주희와 지선이가 각각 1시간 동안 읽은 책의 양의 비는 $\frac{1}{3} : \frac{2}{5}$이고 3과 5의 최소공배수인 15를 전항과 후항에 곱하면 $\square : \square$입니다.

10 소정이와 지수가 같은 일을 1시간 동안 했는데 각각 전체의 $\frac{3}{5}$, $\frac{5}{7}$를 했습니다. 소정이와 지수가 각각 1시간 동안 한 일의 양을 가장 간단한 자연수의 비로 나타내시오.

| 문제 이해 |

분수로 표현된 비를 가장 간단한 자연수의 비로 나타내기
⇨ ______________________

| 해결 과정 |

11 6학년 전체 학생은 250명이고 이 중 남학생은 115명이라고 합니다. 남학생 수와 여학생 수의 비를 가장 간단한 자연수의 비로 나타내시오.

| 문제 이해 |

자연수로 표현된 비를 가장 간단한 자연수의 비로 나타내기
⇨ 전항과 후항의 최대공약수로 나눈다.

| 해결 과정 |

(여학생 수)=(전체 학생 수)−(남학생 수)이므로
여학생은 $250 - 115 = 135$(명)입니다.
남학생 수와 여학생 수의 비는 115 : 135이고 전항과 후항의 최대공약수인 5로 각 항을 나누면
$\square : \square$입니다.

12 6학년 전체 학생은 300명이고 이 중 안경을 쓴 학생은 160명이라고 합니다. 안경을 쓴 학생 수와 안경을 쓰지 않은 학생 수의 비를 가장 간단한 자연수의 비로 나타내시오.

| 문제 이해 |

자연수로 표현된 비를 가장 간단한 자연수의 비로 나타내기
⇨ ______________________

| 해결 과정 |

스스로 푸는 서술형

13 전항이 가장 작은 비의 비율을 소수로 나타내시오.

13 : 7	4 : 11	9 : 5	2 : 8

| 해결 과정 |

답

14 $0.8 : \frac{2}{9}$를 가장 간단한 자연수의 비 ■ : ▲로 나타내었을 때, ■와 ▲의 합을 구하시오.

| 해결 과정 |

답

15 비의 성질을 이용하여 2 : 5와 비율이 같은 자연수의 비를 만들려고 합니다. 만들 수 있는 자연수의 비 중에서 후항이 25보다 작은 비는 모두 몇 개인지 구하시오.

| 해결 과정 |

답

16 $\frac{3}{4} : \frac{\square}{5}$를 가장 간단한 자연수의 비로 나타내었더니 15 : 12가 되었습니다. □ 안에 알맞은 수를 구하시오.

| 해결 과정 |

답

14 비례식

우리는 앞 단원에서 비의 성질을 알아보았습니다. 비의 전항과 후항에 0이 아닌 같은 수를 곱하거나 나누어도 비율은 같았습니다.

6 : 4의 비율은 $\frac{6}{4}$, 즉 $\frac{3}{2}$입니다.
- 6 : 4의 전항과 후항에 3을 곱하면 18 : 12
  ⇨ 비율은 $\frac{18}{12}$, 즉 $\frac{3}{2}$입니다.
- 6 : 4의 전항과 후항을 2로 나누면 3 : 2
  ⇨ 비율은 $\frac{3}{2}$입니다.

그렇다면 비율이 같은 두 비를 어떻게 나타낼까요?

비율이 같은 두 비는 기호 '='를 사용하여 6 : 4=18 : 12와 같이 나타낼 수 있고 이와 같은 식을 **비례식**이라고 합니다.

비례식 6 : 4=18 : 12에서 바깥쪽에 있는 6과 12를 **외항**, 안쪽에 있는 4와 18을 **내항**이라고 합니다.

외항
6 : 4=18 : 12
내항

비례식을 이용하여 비의 성질을 다음과 같이 나타낼 수 있습니다.

6 : 4=18 : 12와 18 : 12=6 : 4는 비율이 같은 두 비로 나타낸 같은 비례식이지만 각 비례식에서 외항과 내항은 서로 다릅니다.

- 3 : 5는 전항과 후항에 2를 곱한 6 : 10과 그 비율이 같습니다.
  ⇨ 비례식에서 외항은 3, 10이고 내항은 5, 6입니다.

  ×2 / 3 : 5=6 : 10 / ×2

- 2 : 6은 전항과 후항을 2로 나눈 1 : 3과 그 비율이 같습니다.
  ⇨ 비례식에서 외항은 2, 3이고 내항은 6, 1입니다.

  ÷2 / 2 : 6=1 : 3 / ÷2

여기서 비율이 같은 두 비를 찾아 비례식으로 나타내어 봅시다. □ 안에 알맞은 것을 써넣으시오.

2 : 3	3 : 4	0.6 : 0.8	$\frac{1}{2}$: $\frac{1}{3}$

2 : 3의 비율은 $\frac{2}{3}$, 3 : 4의 비율은 $\frac{3}{4}$, 0.6 : 0.8에서 6 : 8의 비율은 $\frac{6}{8}\left(=\frac{3}{4}\right)$,
$\frac{1}{2}$: $\frac{1}{3}$에서 3 : 2의 비율은 $\frac{3}{2}$이므로 비율이 같은 두 비를 비례식으로 나타내면 □입니다.

답 3 : 4=0.6 : 0.8

풍산자 비법

비례식 ⇨ 비율이 같은 두 비를 기호 '='를 사용하여 나타낸 식

따라 푸는 서술형

01 두 비율을 보고 비례식으로 나타내시오.

$$\frac{4}{7}=\frac{12}{21}$$

| 해결 과정 |

비율이 $\frac{4}{7}$인 비는 4 : 7로 나타낼 수 있습니다.

비율이 $\frac{12}{21}$인 비는 12 : 21로 나타낼 수 있습니다.

따라서 두 비율을 비례식으로 나타내면

☐ : ☐=☐ : ☐ 또는

12 : 21=4 : 7로 나타낼 수 있습니다.

02 두 비율을 보고 비례식으로 나타내시오.

$$\frac{16}{10}=\frac{8}{5}$$

| 해결 과정 |

03 비례식에서 내항도 되고 전항도 되는 수를 찾아 쓰시오.

4 : 9=12 : 27

| 해결 과정 |

내항은 9와 12이고 전항은 4와 12입니다.

따라서 내항도 되고 전항도 되는 수는 ☐입니다.

04 비례식에서 외항도 되고 전항도 되는 수를 찾아 쓰시오.

12 : 7=36 : 21

| 해결 과정 |

05 비율이 같은 두 비를 찾아 비례식을 완성하시오.

5 : 3, 1.5 : 1.8, 10 : 6, $\frac{1}{8}$: $\frac{1}{10}$

| 해결 과정 |

5 : 3이므로 비율은 $\frac{5}{3}$

1.5 : 1.8이므로 비율은 $\frac{15}{18}\left(=\frac{5}{6}\right)$

10 : 6이므로 비율은 $\frac{10}{6}\left(=\frac{5}{3}\right)$

$\frac{1}{8}$: $\frac{1}{10}$은 10 : 8이므로 비율은 $\frac{10}{8}\left(=\frac{5}{4}\right)$

따라서 비례식을 완성하면

☐ : ☐=☐ : ☐입니다.

06 비율이 같은 두 비를 찾아 비례식을 완성하시오.

8 : 12, $\frac{1}{4}$: $\frac{1}{3}$, 0.6 : 1, 10 : 15

| 해결 과정 |

따라 푸는 문장제 서술형

07 표를 보고 사진기 화면에 있는 사진과 인화한 사진의 가로와 세로의 비를 각각 구하고, 이를 비례식으로 나타낼 수 있는지 없는지 쓰시오.

사진	가로(cm)	세로(cm)
사진기 화면에 있는 사진	8	5
인화한 사진	24	15

| 문제 이해 |

비례식 ⇨ 비율이 같은 두 비를 등호를 사용하여 나타낸 식

| 해결 과정 |

사진기 화면에 있는 사진의 가로와 세로의 비는 $8 : 5$이므로 비율은 $\frac{8}{5}$입니다.

인화한 사진의 가로와 세로의 비는 $24 : 15$이므로 비율은 $\frac{24}{15}\left(=\frac{8}{5}\right)$입니다.

따라서 두 비의 비율이 같으므로 비례식으로 나타낼 수 [　　].

08 표를 보고 액자 두 개의 가로와 세로의 비를 각각 구하고, 이를 비례식으로 나타낼 수 있는지 없는지 쓰시오.

사진	가로(cm)	세로(cm)
액자 (가)	15	35
액자 (나)	12	16

| 문제 이해 |

비례식 ⇨ ____________

| 해결 과정 |

09 비례식 $5 : 7 = 15 : 21$에 대해 잘못 설명한 친구는 누구인지 쓰시오.

준수: 전항은 5와 15이고 내항은 5와 21이야.
태성: 내항인 두 수를 곱하면 105야.

| 문제 이해 |

전항 ⇨ 기호 ':' 앞에 있는 항
내항 ⇨ 비례식에서 안쪽에 있는 두 항

| 해결 과정 |

비례식 $5 : 7 = 15 : 21$에서 전항은 5와 15, 내항은 7과 15입니다. 내항인 두 수를 곱하면 $7 \times 15 = 105$입니다.
따라서 잘못 설명한 친구는 [　　]입니다.

10 비례식 $3 : 8 = 6 : 16$에 대해 잘못 설명한 친구는 누구인지 쓰시오.

혜빈: $3 : 8$과 $6 : 16$은 비율이 같아서 비례식으로 나타낼 수 있어.
민규: 후항도 되고 외항도 되는 수는 3이야.

| 문제 이해 |

후항 ⇨ ____________
외항 ⇨ ____________

| 해결 과정 |

스스로 푸는 서술형

11 조건에 맞게 비례식을 완성하시오.

- 두 비의 비율은 $\frac{2}{7}$입니다.
- 내항의 곱은 168입니다.

2 : □ = □ : □

| 해결 과정 |

답

12 외항이 5와 18이고, 내항이 6과 15인 비례식을 모두 구하시오.

| 해결 과정 |

답

13 요리책에서 쿠키를 만들 때 밀가루와 우유를 5 : 2의 비율로 넣어야 한다고 했습니다. 성재가 밀가루 20컵과 우유 8컵을 넣어 쿠키를 만들었을 때, 밀가루와 우유의 양이 요리책에서 정한 비에 맞는지 쓰시오.

| 해결 과정 |

답

14 각 비율이 $\frac{5}{9}$이고 전항이 5와 15인 비례식을 구하시오.

| 해결 과정 |

답

15 비례식의 성질

우리는 앞 단원에서 비례식을 알아보았습니다. 비율이 같은 두 비는 기호 '='를 사용하여 2 : 3=4 : 6과 같이 나타낼 수 있고, 이와 같은 식을 비례식이라고 하였습니다. 비례식 2 : 3=4 : 6에서 바깥쪽에 있는 2와 6을 외항, 안쪽에 있는 3과 4를 내항이라고 합니다.

그렇다면 비례식의 성질을 알아볼까요?

비례식에서 외항의 곱과 내항의 곱은 같습니다.

비례식의 성질을 이용하면 주어진 식이 비례식인지 비례식이 아닌지 쉽게 알 수 있습니다.

- 외항의 곱은 4×9=36입니다.
- 내항의 곱은 3×12=36입니다.
- (외항의 곱)=(내항의 곱)이므로 비례식입니다.

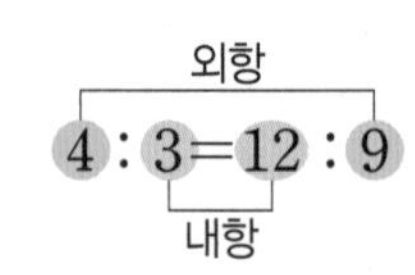

비례식의 성질을 활용하여 다음과 같이 다양한 문제를 해결할 수 있습니다.

- 4 : 5=16 : □에서 □ 안에 알맞은 수를 구해 봅시다.
  외항의 곱은 4×□, 내항의 곱은 5×16이고 외항의 곱과 내항의 곱은 같으므로
  4×□=5×16, 4×□=80, □=20입니다.

여기서 비례식의 성질이 어떤 상황에서 나타나는지 알아봅시다. □ 안에 알맞은 수를 써넣으시오.

> 자동차가 일정한 빠르기로 8 km를 달리는 데 5분이 걸렸습니다. 같은 빠르기로 72 km를 달린다면 몇 분이 걸립니까?

자동차가 72 km를 달리는 데 걸리는 시간을 □분이라 하고 비례식을 세우면
8 : 5=72 : □입니다.
비례식의 성질을 이용하여 □의 값을 구하면
8×□=5×72, 8×□=360, □=45
따라서 자동차가 같은 빠르기로 72 km를 달린다면 ☐분이 걸립니다.

답 45

풍산자 비법

비례식에서 외항의 곱과 내항의 곱은 같다.

따라 푸는 서술형

01 외항의 곱과 내항의 곱을 각각 구하시오.

$3:8=9:24$

| 해결 과정 |

외항은 3과 24, 내항은 8과 9입니다.
따라서 외항의 곱은 $3\times24=$☐이고
내항의 곱은 $8\times9=$☐입니다.

02 외항의 곱과 내항의 곱을 각각 구하시오.

$6:5=24:20$

| 해결 과정 |

03 비례식이 옳은지 확인하시오.

$2:3=8:12$

| 해결 과정 |

비례식에서 외항의 곱과 내항의 곱은 같습니다.
외항은 2와 12, 내항은 3과 8입니다.
외항의 곱은 $2\times12=24$, 내항의 곱은 $3\times8=24$이므로
비례식은 ☐.

04 비례식이 옳은지 확인하시오.

$9:4=18:8$

| 해결 과정 |

05 비례식의 성질을 이용하여 ▲를 구하시오.

$42:24=$▲$:4$

| 해결 과정 |

비례식에서 외항의 곱과 내항의 곱은 같습니다.
외항은 42와 4, 내항은 24와 ▲입니다.
따라서 $42\times4=24\times$▲, $24\times$▲$=168$,
▲=☐입니다.

06 비례식의 성질을 이용하여 ★을 구하시오.

$2:$★$=14:35$

| 해결 과정 |

따라 푸는 문장제 서술형

07 사과가 2개에 1200원입니다. 사과 14개는 얼마인지 구하시오.

| 문제 이해 |

2개에 1200원 ⇨ 2 : 1200

| 해결 과정 |

사과 14개의 가격을 ▲원이라 하고 비례식을 세우면
2 : 1200=14 : ▲입니다.
외항의 곱과 내항의 곱이 같으므로
2×▲=1200×14, 2×▲=16800, ▲=8400
따라서 사과 14개는 [　　　]원입니다.

08 포도가 3송이에 5000원입니다. 포도 15송이는 얼마인지 구하시오.

| 문제 이해 |

3송이에 5000원 ⇨ ______________

| 해결 과정 |

09 일정한 빠르기로 4분 동안 9 km를 달리는 기차가 있습니다. 이 기차가 같은 빠르기로 81 km를 달렸다면 몇 분이 걸린 것인지 구하시오.

| 문제 이해 |

4분 동안 9 km ⇨ 4 : 9

| 해결 과정 |

81 km를 달리는 데 걸리는 시간을 ▲분이라 하고 비례식을 세우면 4 : 9=▲ : 81입니다.
외항의 곱과 내항의 곱이 같으므로
4×81=9×▲, 9×▲=324, ▲=36
따라서 81 km를 달리는 데 걸리는 시간은 [　　]분입니다.

10 일정한 빠르기로 7분 동안 20 km를 달리는 기차가 있습니다. 이 기차가 같은 빠르기로 80 km를 달렸다면 몇 분이 걸린 것인지 구하시오.

| 문제 이해 |

7분 동안 20 km ⇨ ______________

| 해결 과정 |

11 책상의 가로와 세로의 비가 9 : 11입니다. 가로가 63 cm일 때, 세로는 몇 cm인지 구하시오.

| 문제 이해 |

비례식 ⇨ 9 : 11=63 : (세로)

| 해결 과정 |

세로를 ▲ cm라 하고 비례식을 세우면
9 : 11=63 : ▲입니다.
외항의 곱과 내항의 곱이 같으므로
9×▲=11×63, 9×▲=693, ▲=77
따라서 책상의 세로는 [　　] cm입니다.

12 포스터의 가로와 세로의 비가 5 : 7입니다. 세로가 42 cm일 때, 가로는 몇 cm인지 구하시오.

| 문제 이해 |

비례식 ⇨ ______________

| 해결 과정 |

스스로 푸는 서술형

13 어느 야구 선수가 10타수마다 안타를 3번씩 친다고 합니다. 이 선수는 200타수 중에서 안타를 몇 번 칠 것으로 예상되는지 구하시오.

| 해결 과정 |

답

14 5장의 수 카드 중에서 4장을 골라 비례식을 만드시오.

| 해결 과정 |

답

15 지민이는 이번 주 용돈의 70 %를 저금했습니다. 저금한 금액이 14000원이라면 이번 주 용돈은 얼마인지 구하시오.

| 해결 과정 |

답

16 정원의 가로와 세로의 비가 3 : 5입니다. 가로가 21 m일 때, 정원의 넓이는 몇 m^2인지 구하시오.

| 해결 과정 |

답

16 비례배분

우리는 [수학 3-2] 분수에서 부분이 전체의 얼마인지를 분수로 나타내는 방법을 알아보았습니다. 부분이 전체의 얼마인지 분수로 나타낼 때에는 전체는 분모에, 부분은 분자에 표현하였고, 전체에 대한 분수만큼은 전체의 수를 분수의 분모만큼 나눈 다음 분자를 곱하여 구할 수 있었습니다.

8의 $\frac{2}{4}$는 8을 4부분으로 나눈 것 중의 2이므로 4입니다.
($\frac{2}{4}$는 $\frac{1}{4}$의 2배이므로 $2\times2=4$)

그렇다면 전체에 대한 비만큼은 어떻게 구할까요?

영미와 민주가 사탕 10개를 2 : 3의 비로 나누어 가지려고 할 때, 사탕을 어떻게 나누어 가져야 하는지 알아봅시다.

영미와 민주가 2 : 3의 비로 나누어 가진다고 하면 영미는 전체 2+3, 즉 5 중에서 2만큼을 가지고 민주는 전체 5 중에서 3만큼을 가지게 됩니다.

따라서 사탕 10개 중에서 영미는 $\frac{2}{5}$를 가지므로 $10\times\frac{2}{5}=4$(개), 민주는 $\frac{3}{5}$을 가지므로 $10\times\frac{3}{5}=6$(개)를 가집니다.

이와 같이 전체를 주어진 비로 배분하는 것을 **비례배분**이라고 합니다.

비례배분을 할 때에는 주어진 비의 전항과 후항의 합을 분모로 하는 분수의 비로 고쳐서 계산하면 편리합니다.

비례배분을 할 때에는 전체를 몇으로 나누어야 하는지 생각합니다.

> [700을 4 : 3으로 비례배분하기]
>
> $700\times\frac{4}{4+3}=700\times\frac{4}{7}=400$, $700\times\frac{3}{4+3}=700\times\frac{3}{7}=300$
>
> 따라서 700을 4 : 3으로 비례배분하면 400과 300입니다.

여기서 비례배분이 어떤 상황에서 나타나는지 알아봅시다. □ 안에 알맞은 수를 써넣으시오.

> 영미와 민주는 할머니 선물로 9000원짜리 손수건을 사려고 합니다. 영미와 민주가 6 : 4로 돈을 낸다면 민주는 얼마를 내야 할까요?

$9000\times\frac{4}{6+4}=9000\times\frac{4}{10}=3600$이므로 민주는 □원을 내야 합니다.

답 3600

풍산자 비법

비례배분 ⇨ 전체를 주어진 비로 배분하는 것

따라 푸는 서술형

01 준호와 소진이가 사탕 72개를 7 : 5로 나누어 가지려고 합니다. □ 안에 알맞은 수를 써넣으시오.

> 준호는 전체의 □을, 소진이는 전체의 □를 가지게 됩니다.

| 해결 과정 |

준호가 가지게 되는 사탕은 전체의 $\frac{7}{7+5}=\frac{7}{12}$

소진이가 가지게 되는 사탕은 전체의 $\frac{5}{7+5}=\frac{5}{12}$

따라서 □ 안에 알맞은 수는 각각 □, □입니다.

02 지민이와 준혁이가 초콜릿 27개를 4 : 5로 나누어 가지려고 합니다. □ 안에 알맞은 수를 써넣으시오.

> 지민이는 전체의 □를, 준혁이는 전체의 □를 가지게 됩니다.

| 해결 과정 |

03 24를 5 : 3으로 비례배분하시오.

| 해결 과정 |

$24\times\frac{5}{5+3}=24\times\frac{5}{8}=15$

$24\times\frac{3}{5+3}=24\times\frac{3}{8}=9$

따라서 24를 5 : 3으로 비례배분하면 □, □입니다.

04 56을 7 : 1로 비례배분 하시오.

| 해결 과정 |

05 ㉠×㉡을 구하시오.

> 18을 4 : 5로 비례배분하면 ㉠, ㉡입니다.

| 해결 과정 |

㉠은 $18\times\frac{4}{4+5}=18\times\frac{4}{9}=8$입니다.

㉡은 $18\times\frac{5}{4+5}=18\times\frac{5}{9}=10$입니다.

따라서 ㉠×㉡$=8\times10=$□입니다.

06 ㉠×㉡을 구하시오.

> 24를 3 : 1로 비례배분하면 ㉠, ㉡입니다.

| 해결 과정 |

따라 푸는 문장제 서술형

07 어느 날 낮과 밤의 길이의 비가 3 : 5라면 낮은 몇 시간인지 구하시오.

| 문제 이해 |

하루 ⇨ 24시간

| 해결 과정 |

하루는 24시간입니다.

따라서 낮은 $24\times\frac{3}{3+5}=24\times\frac{3}{8}=\square$(시간)입니다.

08 어느 날 낮과 밤의 길이의 비가 5 : 7이라면 밤은 몇 시간인지 구하시오.

| 문제 이해 |

하루 ⇨ ____________

| 해결 과정 |

09 어머니께서 주신 용돈 20000원을 언니와 지수가 7 : 3으로 나누어 가지려고 합니다. 언니가 가지게 되는 용돈을 구하시오.

| 문제 이해 |

7 : 3으로 나누어 갖는다 ⇨ 7 : 3으로 비례배분

| 해결 과정 |

20000원을 7 : 3으로 비례배분하면
언니가 가지게 되는 용돈은

$20000\times\frac{7}{7+3}=20000\times\frac{7}{10}=\square$(원)입니다.

10 아버지께서 주신 용돈 26000원을 형과 민수가 8 : 5로 나누어 가지려고 합니다. 민수가 가지게 되는 용돈을 구하시오.

| 문제 이해 |

8 : 5로 나누어 갖는다 ⇨ ____________

| 해결 과정 |

11 가로와 세로의 비가 2 : 7이고, 가로와 세로의 합이 18 cm인 직사각형이 있습니다. 이 직사각형의 넓이는 몇 cm^2인지 구하시오.

| 문제 이해 |

직사각형의 가로와 세로 ⇨ 2 : 7로 비례배분

| 해결 과정 |

18을 2 : 7로 비례배분하면

가로는 $18\times\frac{2}{2+7}=18\times\frac{2}{9}=4$(cm)이고

세로는 $18\times\frac{7}{2+7}=18\times\frac{7}{9}=14$(cm)입니다.

따라서 직사각형의 넓이는 $4\times14=\square$(cm^2)입니다.

12 가로와 세로의 비가 6 : 5이고, 가로와 세로의 합이 22 cm인 직사각형이 있습니다. 이 직사각형의 넓이는 몇 cm^2인지 구하시오.

| 문제 이해 |

직사각형의 가로와 세로 ⇨ ____________

| 해결 과정 |

스스로 푸는 서술형

13 사탕 42개를 풍산이와 지학이가 $4 : 3$으로 나누어 가졌습니다. 풍산이와 지학이 중에서 누가 사탕을 몇 개 더 많이 가졌는지 구하시오.

| 해결 과정 |

답

14 색종이를 지수랑 영미가 $5 : 3$으로 나누어 가졌더니 영미는 색종이를 30장 가지게 되었습니다. 나누어 가지기 전의 색종이는 모두 몇 장인지 구하시오.

| 해결 과정 |

답

15 귤 60 kg을 정원이와 혜원이가 나누어 가졌더니 정원이는 15 kg, 혜원이는 45 kg을 가졌습니다. 정원이와 혜원이가 나누어 가진 비를 가장 간단한 자연수의 비로 나타내시오

| 해결 과정 |

답

16 은호는 옥수수 70개를 할아버지 댁과 삼촌 댁에 $0.4 : 0.3$의 비로 나누어 드리려고 합니다. 각각 몇 개씩 드려야 하는지 구하시오.

| 해결 과정 |

답

단계별로, 문제해결 능력을 키우자!

지금까지 우리는 비례식과 비례배분을 배웠습니다.
힘들었을 텐데, 잘 풀었어요!

자, 그럼 마지막으로 지금까지 배운 비례식과 비례배분을 모두 이용해서 우리 함께 서술형 문제를 해결해 볼까요?
단계별로 문제를 해결하다 보면 어려운 서술형도 쉬워질 거예요.

서로 맞물려 돌아가는 두 톱니바퀴 ㉮와 ㉯가 있습니다. ㉮ 톱니바퀴는 톱니가 36개, ㉯ 톱니바퀴는 톱니가 12개입니다. ㉮ 톱니바퀴가 5바퀴 회전할 때 ㉯ 톱니바퀴는 몇 바퀴 회전하는지 구하시오.

실타래 찾기 톱니 수의 비가 ■ : ▲인 두 톱니바퀴의 회전 수의 비는 ▲ : ■입니다.

실타래 풀기 **단계 1 :** ㉮ 톱니 수와 ㉯ 톱니 수의 비를 간단한 자연수의 비로 나타냅니다.

단계 2 : ㉮ 톱니바퀴가 1바퀴 회전할 때 ㉯ 톱니바퀴는 몇 바퀴 회전하는지 구합니다.

단계 3 : ㉮ 톱니바퀴가 5바퀴 회전할 때 ㉯ 톱니바퀴는 몇 바퀴 회전하는지 구합니다.

나만의 해설 쓰기 :

정답 :

5

원의 넓이

공부할 내용	공부한 날
17 원주와 원주율	월 일
18 원의 넓이	월 일

17 원주와 원주율

우리는 **[수학 3-2]** 원에서 원의 중심, 반지름, 지름을 알아보았습니다. 띠 종이와 누름 못을 이용하여 원을 그릴 때에 누름 못이 꽂혔던 점을 원의 중심이라 하고, 원의 중심과 원 위의 한 점을 이은 선분을 원의 반지름이라고 하며, 원 위의 두 점을 이은 선분이 원의 중심을 지날 때, 이 선분을 원의 지름이라고 하였습니다.

그렇다면 원의 둘레는 어떻게 구할까요?

원의 둘레를 **원주**라고 하며, 원의 크기와 관계없이 지름에 대한 원주의 비는 일정합니다.

원의 지름에 대한 원주의 비를 **원주율**이라고 합니다.

지름이 커지면 원주도 커지고, 원주가 커지면 지름도 커집니다.

(원주율)=(원주)÷(지름)

원주율을 소수로 나타내면 3.1415926535897932……와 같이 끝없이 이어집니다. 원주율을 이용하여 원주와 지름을 다음과 같이 구합니다.

원주율은 필요에 따라 3, 3.1, 3.14 등으로 어림하여 사용하기도 합니다.

- 지름을 알 때 원주율을 이용하여 원주 구하기 (원주율: 3.14)
  지름이 3 cm인 원의 원주 ⇨ (원주)=(지름)×(원주율)=3×3.14=9.42(cm)
- 원주를 알 때 원주율을 이용하여 지름 구하기 (원주율: 3.14)
  원주가 62.8 cm인 원의 지름
  ⇨ (지름)=(원주)÷(원주율)=62.8÷3.14=20(cm)

$(원주율)=\frac{(원주)}{(지름)}$

⇨ (원주)=(지름)×(원주율)

⇨ $(지름)=\frac{(원주)}{(원주율)}$

여기서 원주와 원주율이 어떤 상황에서 나타나는지 알아봅시다. □ 안에 알맞은 수를 써넣으시오.

지름이 50 cm인 굴렁쇠를 4바퀴 굴렸을 때 굴렁쇠가 굴러간 거리는 몇 cm일까요? (원주율: 3)

(굴렁쇠의 원주)=50×3=150(cm)이고 굴렁쇠를 4바퀴 굴렸으므로 굴렁쇠가 굴러간 거리는 150×4=□(cm)입니다.

답 600

풍산자 비법

(원주율)=(원주)÷(지름)

따라 푸는 서술형

01 지름이 2 cm일 때 원주를 구하시오.

(원주율: 3.1)

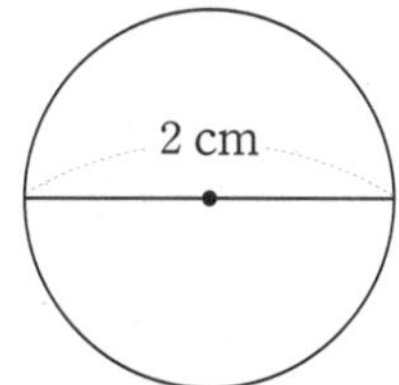

| 해결 과정 |

(원주)=(지름)×(원주율)이므로

(원주)=2×3.1=☐(cm)입니다.

02 지름이 8 cm일 때 원주를 구하시오.

(원주율: 3.14)

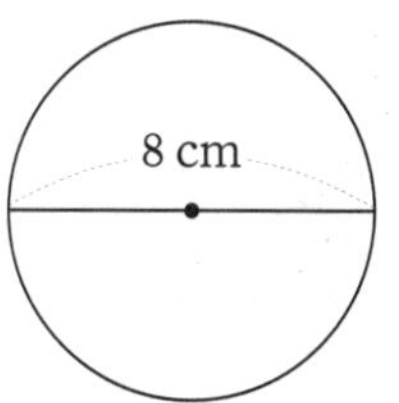

| 해결 과정 |

03 (원주)÷(지름)을 비교하여 ○ 안에 >, =, <를 알맞게 써넣으시오.

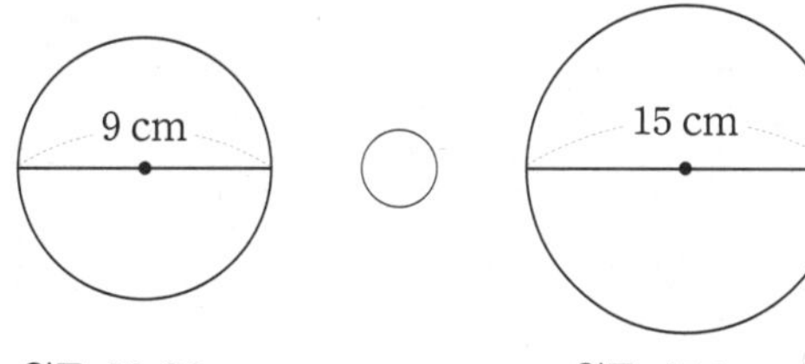

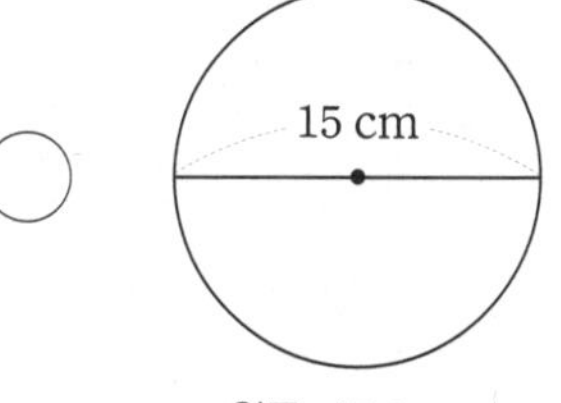

| 해결 과정 |

28.26÷9=3.14

47.1÷15=3.14

따라서 ○ 안에 알맞은 것은 ☐입니다.

04 (원주)÷(지름)을 비교하여 ○ 안에 >, =, <를 알맞게 써넣으시오.

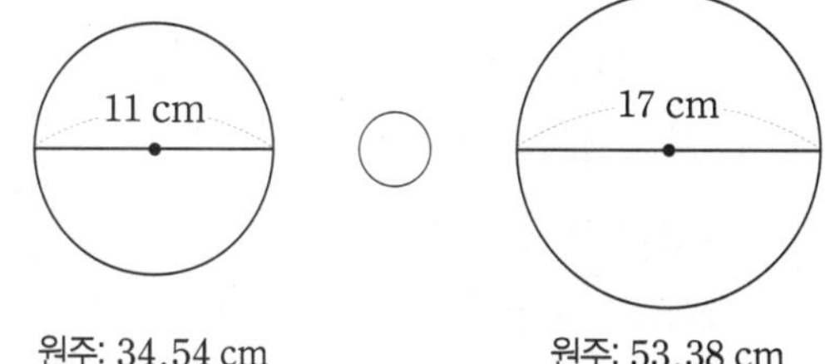

| 해결 과정 |

05 원주가 18 cm일 때 이 원의 지름을 구하시오. (원주율: 3)

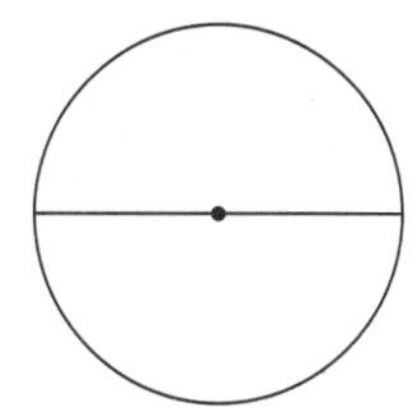

| 해결 과정 |

(지름)=(원주)÷(원주율)이므로 (지름)=18÷3=6(cm)

따라서 원의 지름은 ☐ cm입니다.

06 원주가 24.8 cm일 때 이 원의 지름을 구하시오. (원주율: 3.1)

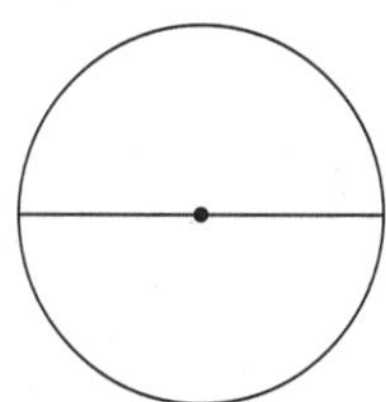

| 해결 과정 |

따라 푸는 문장제 서술형

07 반지름이 4.5 mm인 원 모양의 단추가 있습니다. 이 단추의 원주를 구하시오. (원주율: 3)

| 문제 이해 |

반지름 ⇨ (지름) × $\frac{1}{2}$

원주 ⇨ (지름) × (원주율)

| 해결 과정 |

반지름이 4.5 mm인 원의 지름은 9 mm입니다.
따라서 단추의 원주는 9 × 3 = ☐(mm)입니다.

08 반지름이 7.2 cm인 원 모양의 벽시계가 있습니다. 이 벽시계의 원주를 구하시오. (원주율: 3)

| 문제 이해 |

반지름 ⇨ ______

원주 ⇨ ______

| 해결 과정 |

09 길이가 37.2 cm인 철사를 겹치는 부분 없이 이어 붙여 가장 큰 원을 만들었습니다. 이 원의 지름은 몇 cm인지 구하시오. (원주율: 3.1)

| 문제 이해 |

지름 ⇨ (원주) ÷ (원주율)

| 해결 과정 |

철사로 만든 원의 원주는 37.2 cm이므로
이 원의 지름은 37.2 ÷ 3.1 = ☐(cm)입니다.

10 길이가 46.5 cm인 리본을 겹치는 부분 없이 이어 붙여 가장 큰 원을 만들었습니다. 이 원의 지름은 몇 cm인지 구하시오. (원주율: 3.1)

| 문제 이해 |

지름 ⇨ ______

| 해결 과정 |

11 지름이 30 cm인 원 모양의 바퀴 자를 사용하여 집에서 버스 정류장까지의 거리를 알아보려고 합니다. 바퀴가 200바퀴 돌았다면 집에서 버스 정류장까지의 거리는 몇 m인지 구하시오. (원주율: 3.14)

| 문제 이해 |

집에서 버스 정류장까지의 거리 ⇨ (바퀴 자의 원주) × 200

| 해결 과정 |

지름이 30 cm인 바퀴 자가 한 바퀴 돈 거리는
30 × 3.14 = 94.2(cm)이므로 바퀴 자가 200바퀴 돈
거리는 94.2 × 200 = 18840(cm)입니다.
따라서 집에서 버스 정류장까지의 거리는 ☐ m입니다.

12 지름이 50 cm인 원 모양의 바퀴 자를 사용하여 학교에서 도서관까지의 거리를 알아보려고 합니다. 바퀴가 150바퀴 돌았다면 학교에서 도서관까지의 거리는 몇 m인지 구하시오. (원주율: 3.14)

| 문제 이해 |

학교에서 도서관까지의 거리 ⇨ ______

| 해결 과정 |

스스로 푸는 서술형

13 원 모양의 접시를 큰 것부터 차례대로 겹쳐 놓으려고 합니다. 큰 접시부터 차례대로 기호를 쓰시오. (원주율: 3.1)

㉠ 반지름이 4 cm인 접시
㉡ 지름이 9 cm인 접시
㉢ 원주가 21.7 cm인 접시

| 해결 과정 |

답

14 원주와 원주율에 대해 잘못 설명한 친구는 누구인지 쓰시오.

현서: 원의 지름이 커져도 원주율은 변하지 않아.
지성: 원주와 지름은 같아.
유나: 지름은 (원주)÷(원주율)로 구해.

| 해결 과정 |

답

15 나리와 주리는 훌라후프를 돌리고 있습니다. 나리의 훌라후프는 지름이 90 cm이고 주리의 훌라후프의 원주는 248 cm입니다. 누구의 훌라후프가 더 큰지 구하시오. (원주율: 3.14)

| 해결 과정 |

답

16 색칠한 부분의 둘레를 구하시오. (원주율: 3)

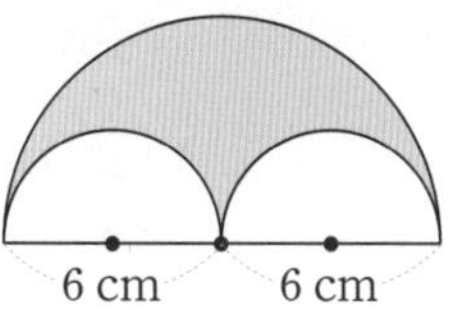

| 해결 과정 |

답

18 원의 넓이

우리는 앞 단원에서 원주율을 알아보았습니다. 원의 둘레를 원주라고 하며, 원의 지름에 대한 원주의 비를 원주율이라고 하였습니다. 원주율을 소수로 나타내면 3.1415926535897932……와 같이 끝없이 이어지므로 필요에 따라 3, 3.1, 3.14 등으로 어림하여 사용하기도 하였습니다.

(원주율)=(원주)÷(지름)

그렇다면 원의 넓이는 어떻게 구할까요?
원을 한없이 잘라 이어 붙여서 점점 직사각형에 가까워지는 도형을 이용하여 원의 넓이를 구할 수 있습니다. 그림과 같이 점점 직사각형에 가까워지는 도형의 가로는 원주의 $\frac{1}{2}$과 같고 세로는 원의 반지름과 같습니다.

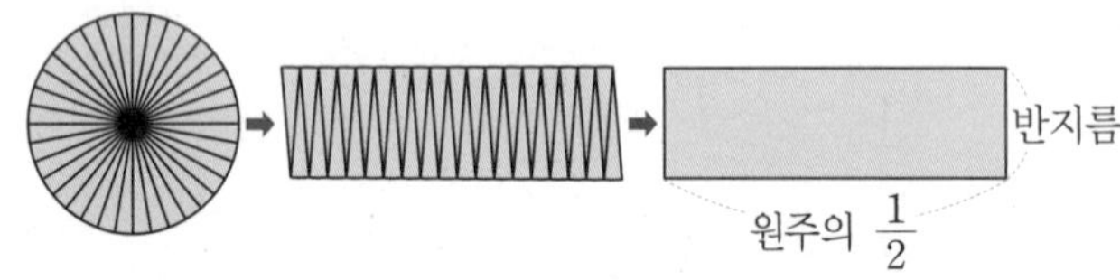

직사각형의 넓이 구하는 방법을 이용하여 원의 넓이를 구하면 다음과 같습니다.

(원의 넓이)=(직사각형의 넓이)=(직사각형의 가로)×(직사각형의 세로)
$=\left(\text{원주의 } \frac{1}{2}\right)\times$(반지름)=(원주율)×(지름)×$\frac{1}{2}$×(반지름)
=(원주율)×(반지름)×(반지름)

(지름)×$\frac{1}{2}$=(반지름)

여기서 원의 넓이는 어떤 상황에서 나타나는지 알아봅시다. □ 안에 알맞은 수를 써넣으시오.

지름이 20 m인 원 모양의 연못이 있습니다. 이 연못의 넓이는 몇 m^2일까요?
(원주율: 3)

연못의 반지름은 20÷2=10(m)이므로 연못의 넓이는 3×10×10=□(m^2)입니다.

답 300

풍산자 비법

(원의 넓이)=(원주율)×(반지름)×(반지름)

따라 푸는 서술형

01 원의 넓이는 몇 cm^2인지 구하시오.

(원주율: 3.14)

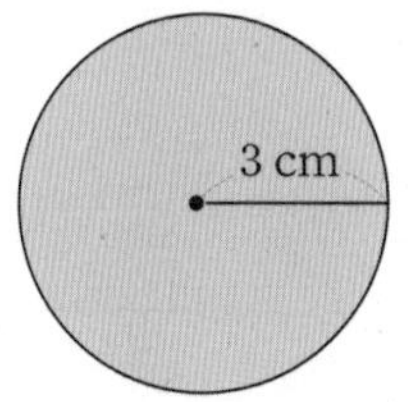

| 해결 과정 |

(원의 넓이)=(반지름)×(반지름)×(원주율)이므로

(원의 넓이)=3×3×3.14=□(cm^2)입니다.

02 원의 넓이는 몇 cm^2인지 구하시오.

(원주율: 3.1)

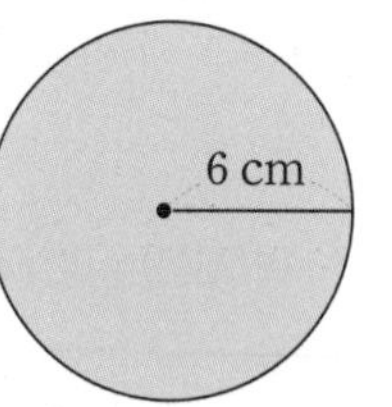

| 해결 과정 |

03 원의 넓이가 49.6 cm^2일 때, □ 안에 알맞은 수를 써넣으시오. (원주율: 3.1)

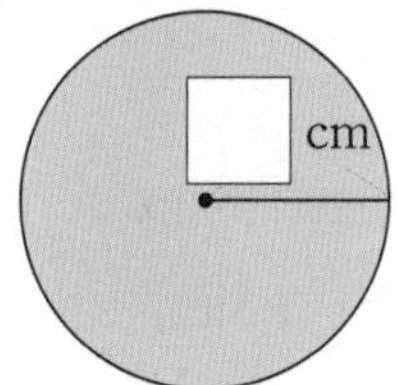

| 해결 과정 |

(원의 넓이)=(반지름)×(반지름)×(원주율)이므로

원의 반지름을 □cm라고 하면

49.6=□×□×3.1입니다.

□×□=49.6÷3.1=16이므로 □=4

따라서 반지름은 □ cm입니다.

04 원의 넓이가 153.86 cm^2일 때, □ 안에 알맞은 수를 써넣으시오. (원주율: 3.14)

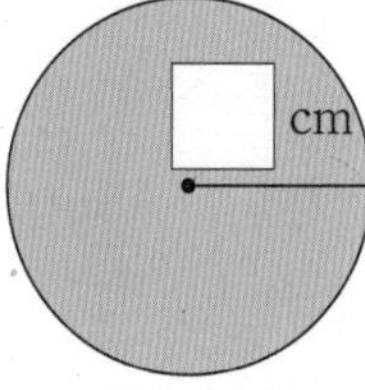

| 해결 과정 |

05 원주가 69.08 cm인 원이 있습니다. 이 원의 넓이를 구하시오. (원주율: 3.14)

| 해결 과정 |

(지름)=(원주)÷(원주율)이므로

(반지름)=(원주)÷(원주율)÷2이고

(반지름)=69.08÷3.14÷2=11(cm)입니다.

(원의 넓이)=(반지름)×(반지름)×(원주율)이므로

(원의 넓이)=11×11×3.14=□(cm^2)입니다.

06 원주가 57.6 cm인 원이 있습니다. 이 원의 넓이를 구하시오. (원주율: 3)

| 해결 과정 |

따라 푸는 문장제 서술형

07 지름이 10 m인 원 모양의 화단이 있습니다. 이 화단의 넓이는 몇 m^2인지 구하시오. (원주율: 3.1)

| 문제 이해 |

원의 넓이 ⇨ (반지름)×(반지름)×(원주율)

| 해결 과정 |

지름이 10 m인 화단의 반지름은 5 m이므로
화단의 넓이는 5×5×3.1=□(m^2)입니다.

08 지름이 14 m인 원 모양의 분수대가 있습니다. 이 분수대의 넓이는 몇 m^2인지 구하시오. (원주율: 3.1)

| 문제 이해 |

원의 넓이 ⇨ ______________

| 해결 과정 |

09 크기가 다른 두 피자가 있습니다. A 피자의 지름은 20 cm이고 B 피자의 반지름이 A 피자의 반지름의 3배일 때, B 피자의 넓이는 몇 cm^2인지 구하시오. (원주율: 3.14)

| 문제 이해 |

A 피자의 반지름 ⇨ $20\times\frac{1}{2}$

B 피자의 반지름 ⇨ (A 피자의 반지름)×3

| 해결 과정 |

B 피자의 반지름이 A 피자의 반지름의 3배이므로

B 피자의 반지름은 $20\times\frac{1}{2}\times3=30$(cm)입니다.

따라서 B 피자의 넓이는
30×30×3.14=□(cm^2)입니다.

10 크키가 다른 두 개의 케이크가 있습니다. 생크림 케이크의 지름은 16 cm이고 초코 케이크의 반지름은 생크림 케이크의 반지름의 2.5배일 때, 초코 케이크의 넓이는 몇 cm^2인지 구하시오. (원주율: 3.1)

| 문제 이해 |

생크림 케이크의 반지름 ⇨ ______________

초코 케이크의 반지름 ⇨ ______________

| 해결 과정 |

11 가로가 15 cm, 세로가 12 cm인 직사각형 모양의 종이 위에 원을 그리려고 합니다. 이 종이 위에 그릴 수 있는 가장 큰 원의 넓이를 구하시오. (원주율: 3.1)

| 문제 이해 |

그릴 수 있는 가장 큰 원의 지름
⇨ 직사각형 종이의 짧은 변의 길이

| 해결 과정 |

직사각형의 가로가 15 cm, 세로가 12 cm일 때 그릴 수 있는 가장 큰 원의 지름은 12 cm입니다.
지름이 12 cm인 원의 반지름은 6 cm이므로
원의 넓이는 6×6×3.1=□(cm^2)입니다.

12 한 변이 18 cm인 정사각형 모양의 종이 위에 원을 그리려고 합니다. 이 종이 위에 그릴 수 있는 가장 큰 원의 넓이를 구하시오. (원주율: 3.14)

| 문제 이해 |

그릴 수 있는 가장 큰 원의 지름
⇨ ______________

| 해결 과정 |

스스로 푸는 서술형

13 넓이가 큰 원부터 차례대로 기호를 쓰시오. (원주율: 3)

㉠ 반지름이 14 cm인 원
㉡ 넓이가 462 cm^2인 원
㉢ 지름이 24 cm인 원
㉣ 원주가 102 cm인 원

| 해결 과정 |

답

14 정사각형 모양 쿠키와 원 모양 쿠키의 넓이를 비교해 보려고 합니다. 어느 모양 쿠키의 넓이가 몇 cm^2 더 큰지 구하시오. (원주율: 3.14)

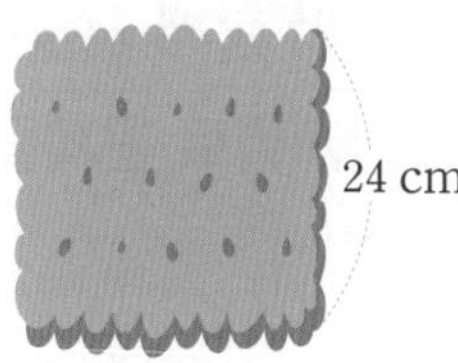

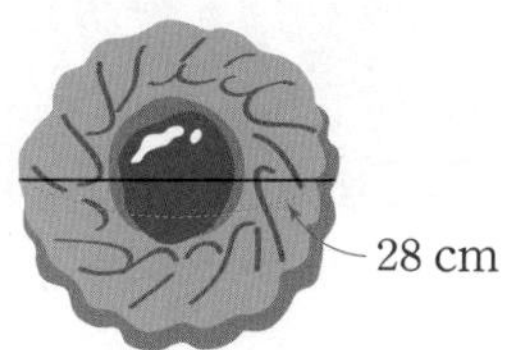

| 해결 과정 |

답

15 색칠한 부분의 넓이를 구하시오. (원주율: 3.1)

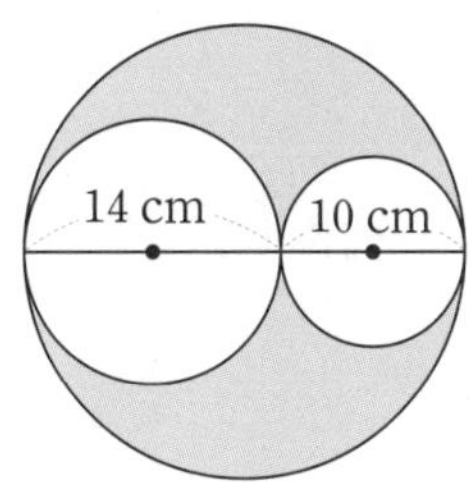

| 해결 과정 |

답

16 과녁에서 가장 큰 원의 반지름은 20 cm이고 각 원의 반지름은 밖에 있는 원의 반지름보다 5 cm씩 짧습니다. 과녁에서 3점 이하를 받을 수 있는 부분의 넓이는 몇 cm^2인지 구하시오. (원주율: 3)

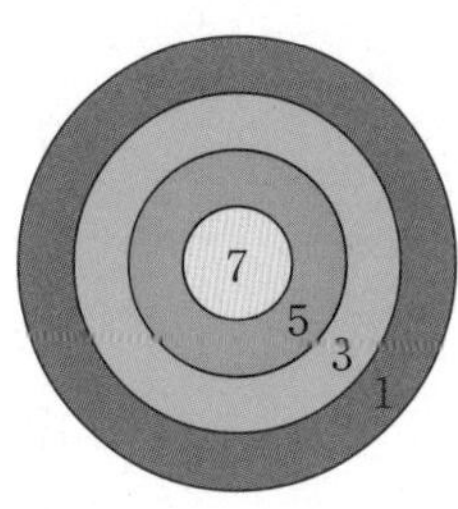

| 해결 과정 |

답

단계별로, 문제해결 능력을 키우자!

지금까지 우리는 원의 넓이를 배웠습니다.
힘들었을 텐데, 잘 풀었어요!

자, 그럼 마지막으로 지금까지 배운 원의 넓이를 모두 이용해서
우리 함께 서술형 문제를 해결해 볼까요?
단계별로 문제를 해결하다 보면 어려운 서술형도 쉬워질 거예요.

민주가 반지름이 25 cm인 굴렁쇠를 굴려서 6 m 20 cm 앞으로 나아갔습니다. 민주가 굴렁쇠를 몇 바퀴 굴렸는지 구하시오. (원주율: 3.1)

실타래 찾기 ▶ 먼저 굴렁쇠가 굴러간 거리가 몇 cm인지 알아봅시다.

실타래 풀기 ▶ **단계 1 :** 굴렁쇠가 굴러간 거리는 몇 cm인지 구합니다.

단계 2 : 굴렁쇠가 한 바퀴 굴러간 거리는 몇 cm인지 구합니다.

단계 3 : 민주가 굴렁쇠를 몇 바퀴 굴렸는지 구합니다.

나만의 해설 쓰기 :

정답 :

6

원기둥, 원뿔, 구

공부할 내용	공부한 날
19 원기둥	월 일
20 원뿔과 구	월 일

19 원기둥

우리는 [수학 6-1] 각기둥과 각뿔에서 각기둥을 알아보았습니다.
각기둥에서 서로 평행하고 합동인 두 면을 밑면, 두 밑면과 만나는 면을 옆면이라고 하였습니다. 각기둥에서 면과 면이 만나는 선분을 모서리, 모서리와 모서리가 만나는 점을 꼭짓점, 두 밑면 사이의 거리를 높이라고 하였습니다.

각기둥은 위와 아래에 있는 면이 서로 평행하고 합동인 다각형입니다.

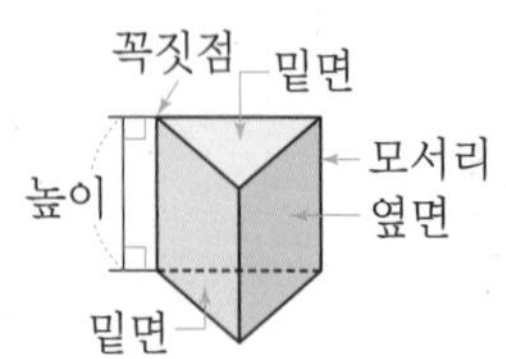

그렇다면 위와 아래에 있는 면이 서로 평행하고 합동인 원으로 이루어진 둥근기둥 모양의 입체도형을 무엇이라고 할까요?

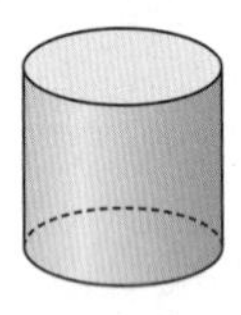
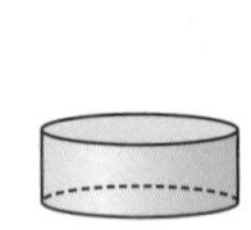
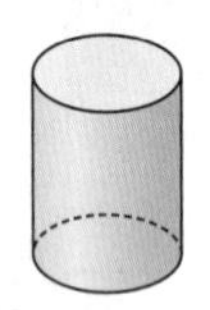

위와 같은 입체도형을 **원기둥**이라고 합니다.
원기둥에서 서로 평행하고 합동인 두 면을 **밑면**이라 하고, 두 밑면과 만나는 면을 **옆면**이라고 합니다.
이때 원기둥의 옆면은 굽은 면입니다.
또, 두 밑면에 수직인 선분의 길이를 **높이**라고 합니다.
원기둥을 잘라서 펼쳐 놓은 그림을 원기둥의 **전개도**라고 합니다.
원기둥의 전개도에서 옆면의 가로와 세로의 길이는 각각 원기둥의 밑면의 둘레, 높이와 같습니다.

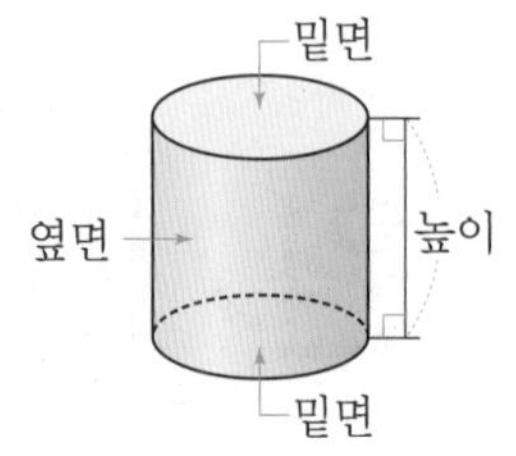
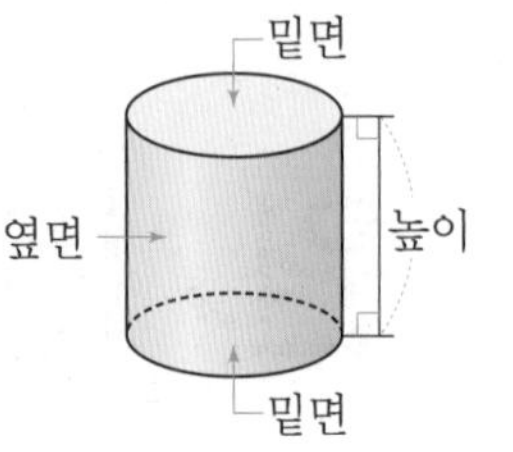

직사각형 모양의 종이를 한 변을 기준으로 돌리면 원기둥이 됩니다.

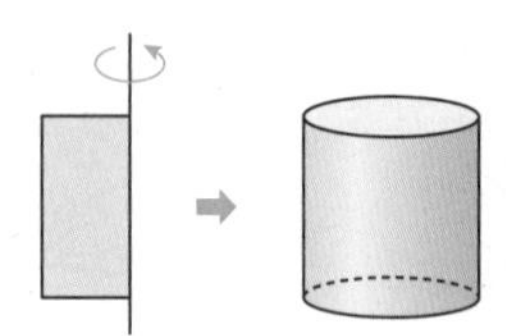

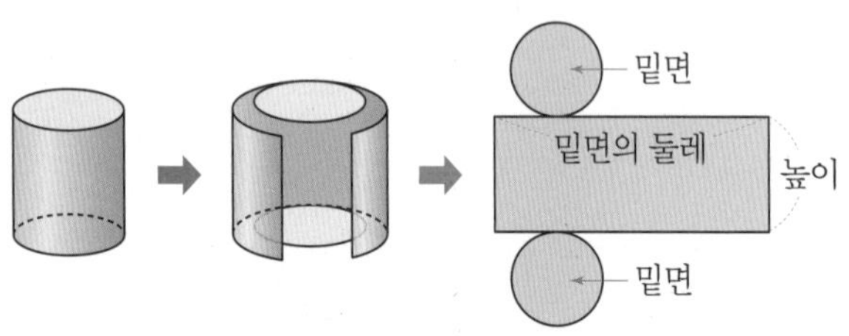

원기둥의 전개도에서 밑면의 모양은 원이고 옆면의 모양은 직사각형입니다.

여기서 원기둥과 원기둥의 전개도가 아닌 경우를 알아봅시다. □ 안에 알맞은 것을 써넣으시오.

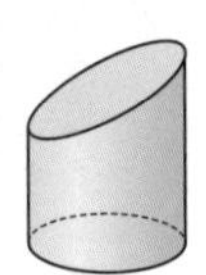

주어진 도형은 밑면이 서로 평행하지 않고 합동이 아니므로 원기둥이 아닙니다.

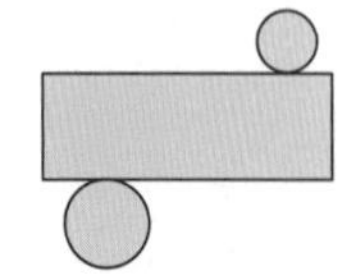

주어진 전개도는 두 □이 합동이 아니므로 원기둥의 전개도가 아닙니다.

답 밑면

풍산자 비법

원기둥의 두 밑면은 서로 평행이고 합동이다.

따라 푸는 서술형

01 원기둥을 모두 고르시오.

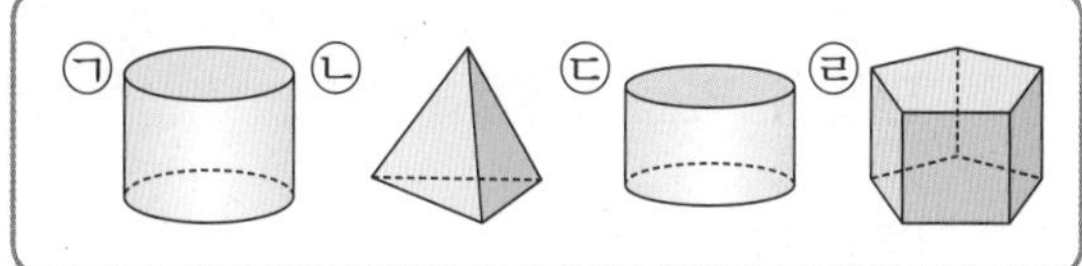

| 해결 과정 |

원기둥은 위와 아래에 있는 면이 서로 평행하고 합동인 원으로 이루어진 입체도형입니다.
따라서 원기둥은 ☐, ☐입니다.

02 원기둥이 아닌 것을 모두 고르시오.

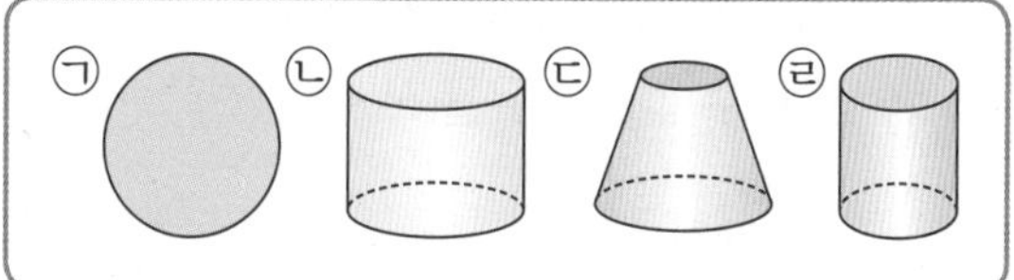

| 해결 과정 |

03 직사각형 모양의 종이를 한 변을 기준으로 돌려 만든 입체도형의 높이는 몇 cm인지 구하시오.

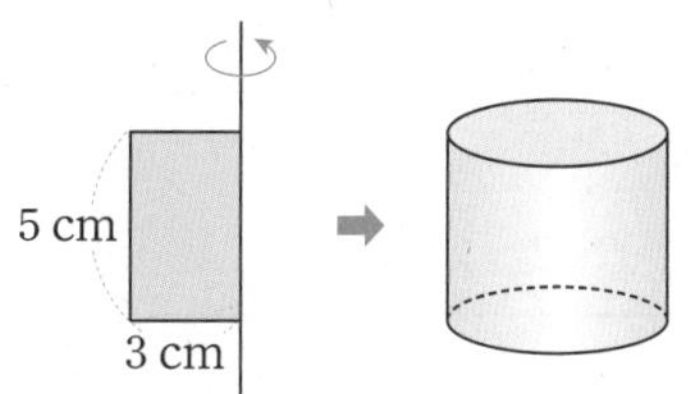

| 해결 과정 |

직사각형 모양의 종이를 한 변을 기준으로 돌려 만들어진 입체도형은 원기둥입니다. 원기둥의 높이는 직사각형의 세로의 길이와 같습니다.
따라서 원기둥의 높이는 ☐ cm입니다.

04 직사각형 모양의 종이를 한 변을 기준으로 돌려 만든 입체도형의 높이는 몇 cm인지 구하시오.

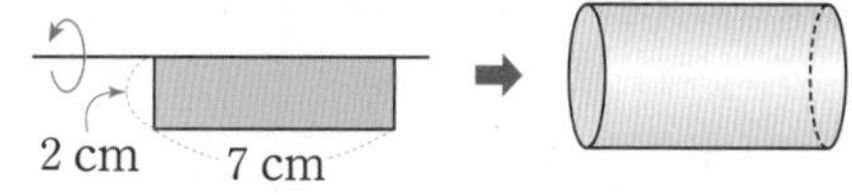

| 해결 과정 |

05 원기둥의 전개도를 보고 밑면의 둘레와 같은 길이의 선분을 모두 찾아 쓰시오.

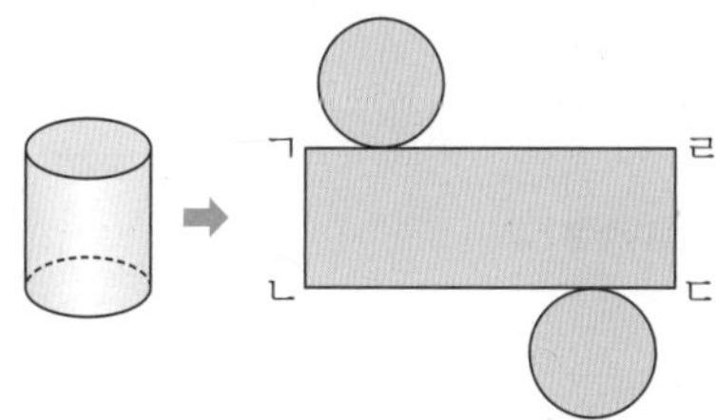

| 해결 과정 |

전개도에서 옆면의 가로의 길이는 밑면의 둘레와 같습니다.
따라서 밑면의 둘레와 같은 길이의 선분은
선분 ㄱㄹ과 선분 ☐입니다.

06 원기둥의 전개도를 보고 원기둥의 높이와 같은 길이의 선분을 모두 찾아 쓰시오.

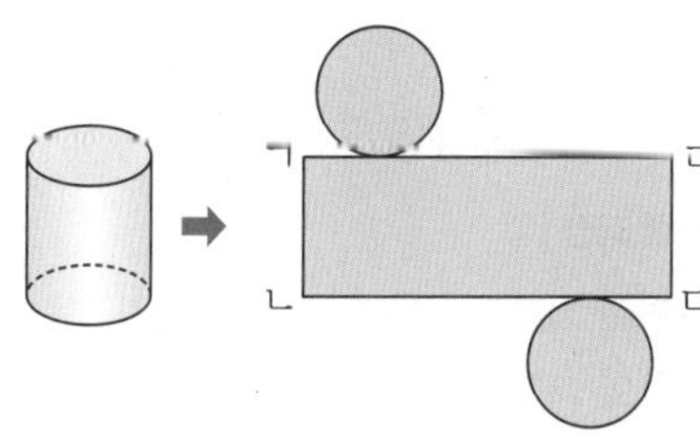

| 해결 과정 |

따라 푸는 문장제 서술형

07 오른쪽 전개도로는 원기둥을 만들 수 없습니다. 원기둥을 만들 수 없는 이유를 쓰시오.

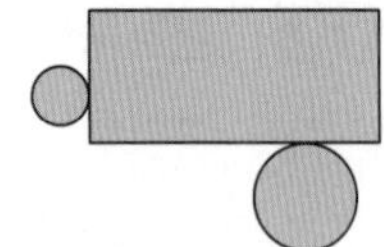

| 문제 이해 |

원기둥 ⇨ 위와 아래에 있는 면이 서로 평행하고 합동인 원으로 이루어진 입체도형

| 해결 과정 |

원기둥에서 두 밑면은 서로 평행하고 합동입니다.
주어진 전개도는 두 밑면이 [ ]이 아니고 옆면인 직사각형의 위, 아래에 접해있지 않으므로 원기둥을 만들 수 없습니다.

08 오른쪽 전개도로는 원기둥을 만들 수 없습니다. 원기둥을 만들 수 없는 이유를 쓰시오.

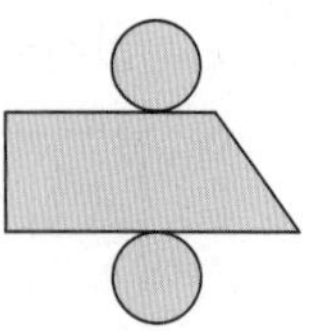

| 문제 이해 |

원기둥의 전개도에서 옆면의 모양 ⇨ ____________

| 해결 과정 |

09 원기둥 모양의 종이상자를 잘라 펼쳤더니 다음과 같은 모양이었습니다. □ 안에 알맞은 수를 써넣으시오. (원주율: 3.1)

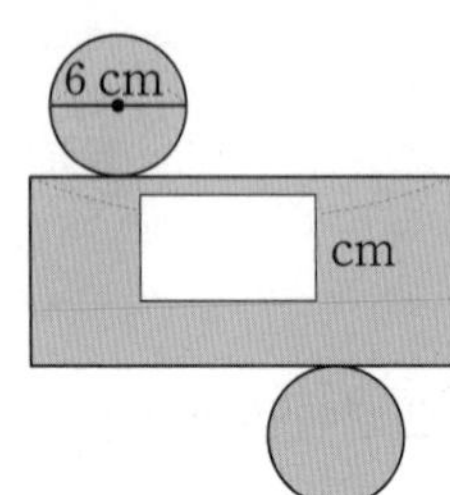

| 문제 이해 |

옆면의 가로의 길이 ⇨ 밑면의 둘레

| 해결 과정 |

(옆면의 가로)=(밑면의 지름)×(원주율)이므로
(옆면의 가로)=$6\times3.1=18.6$(cm)입니다.
따라서 □ 안에 알맞은 수는 [ ]입니다.

10 원기둥 모양의 종이상자를 잘라 펼쳤더니 다음과 같은 모양이었습니다. □ 안에 알맞은 수를 써넣으시오. (원주율: 3.14)

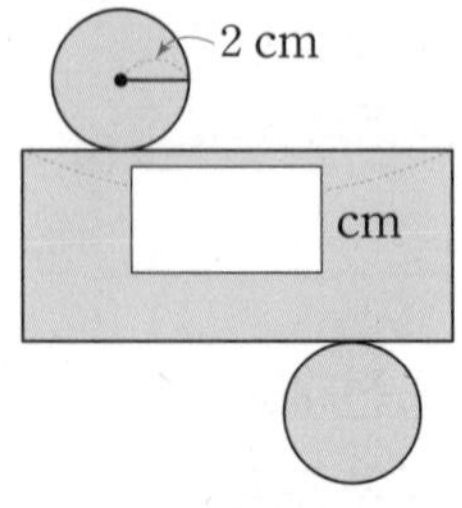

| 문제 이해 |

옆면의 가로의 길이 ⇨ ____________

| 해결 과정 |

스스로 푸는 서술형

11 원기둥과 원기둥의 전개도에 대해 잘못 설명한 친구는 누구인지 쓰시오.

진아: 원기둥의 두 밑면의 모양은 원이고 합동이야.
우리: 원기둥의 전개도에서 옆면의 세로의 길이는 밑면의 둘레와 같아.
슬기: 원기둥의 전개도에서 옆면의 모양은 직사각형이야.

| 해결 과정 |

답

12 오른쪽 원기둥을 펼쳐 전개도를 만들었을 때 옆면의 가로와 세로의 길이의 합을 구하시오.

(원주율: 3.14)

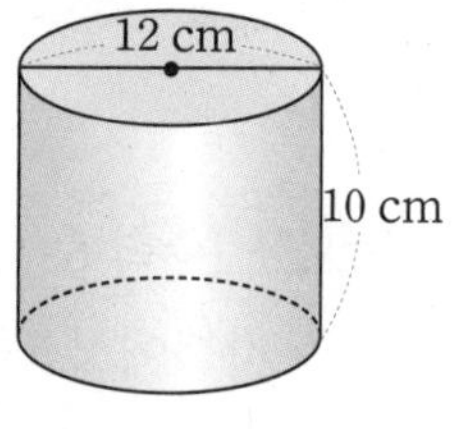

| 해결 과정 |

답

13 원기둥 모양 깡통의 옆면을 잘라 펼쳤더니 다음과 같은 직사각형 모양이었습니다. 깡통의 밑면의 반지름은 몇 cm인지 구하시오.

(원주율: 3.14)

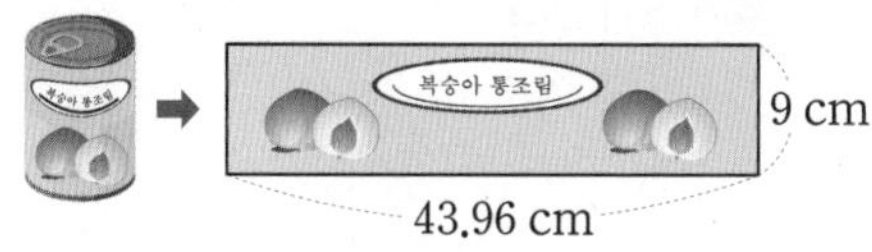

| 해결 과정 |

답

14 원기둥의 전개도에서 옆면의 넓이가 111.6 cm^2일 때, 원기둥의 높이는 몇 cm인지 구하시오. (원주율: 3.1)

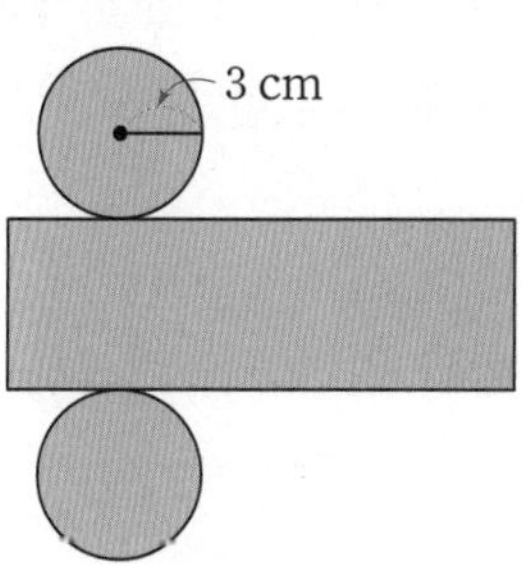

| 해결 과정 |

답

20 원뿔과 구

우리는 **[수학 6-1]** 각기둥과 각뿔에서 각뿔을 알아보았습니다.
오른쪽 각뿔에서 면 ㄴㄷㄹㅁ과 같은 면을 밑면, 밑면과 만나는 면을 옆면이라고 하였습니다. 각뿔에서 면과 면이 만나는 선분을 모서리, 모서리와 모서리가 만나는 점을 꼭짓점, 꼭짓점 중에서도 옆면이 모두 만나는 점을 각뿔의 꼭짓점, 각뿔의 꼭짓점에서 밑면에 수직인 선분의 길이를 높이라고 하였습니다.

각뿔은 밑에 놓인 면이 다각형이고 옆으로 둘러싼 면은 삼각형입니다.

ㄱ 각뿔의 꼭짓점
모서리
옆면
높이
ㅁ
ㄹ
ㄴ
밑면
ㄷ
꼭짓점

그렇다면 평평한 면이 1개이고 원이며 뾰족한 뿔 모양의 입체도형을 무엇이라고 할까요?

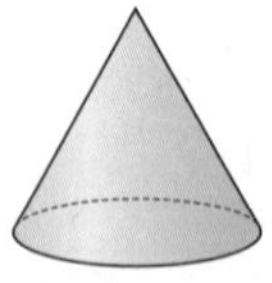
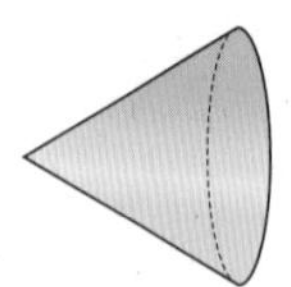
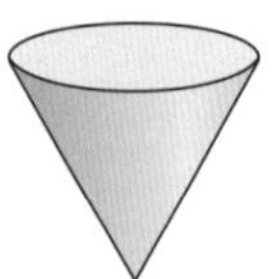

위와 같은 입체도형을 **원뿔**이라고 합니다.
원뿔에서 평평한 면을 **밑면**, 옆을 둘러싼 굽은 면을 **옆면**이라고 하며 원뿔에서 뾰족한 부분의 점을 **원뿔의 꼭짓점**이라고 합니다. 원뿔에서 꼭짓점과 밑면인 원의 둘레의 한 점을 이은 선분을 **모선**이라고 하고, 꼭짓점에서 밑면에 수직인 선분의 길이를 **높이**라고 합니다.

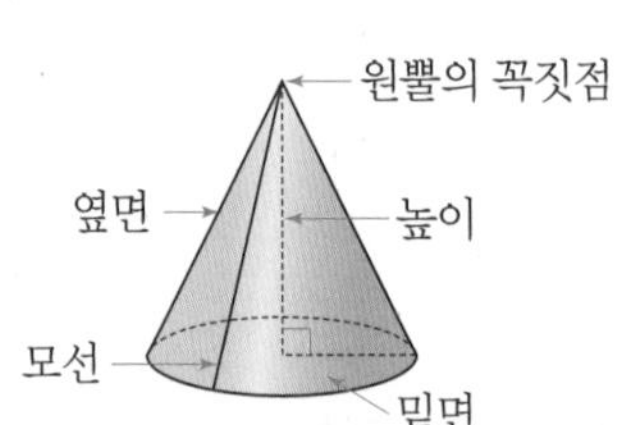

오른쪽 그림과 같은 공 모양의 입체도형을 **구**라고 합니다. 구에서 가장 안쪽에 있는 점을 **구의 중심**이라 하고, 구의 중심에서 구의 겉면의 한 점을 이은 선분을 **구의 반지름**이라고 합니다.

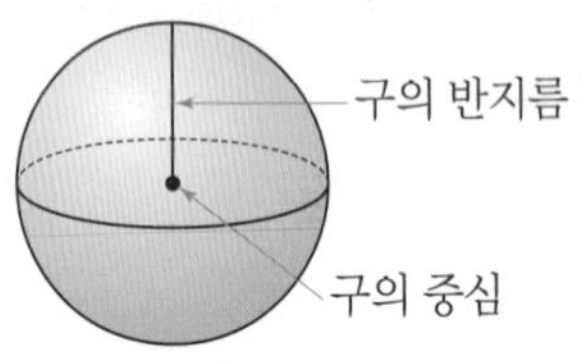

직각삼각형 모양의 종이를 한 변을 기준으로 돌리면 원뿔이 됩니다.

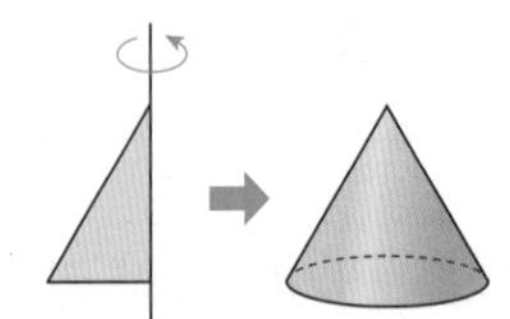

반원 모양의 종이를 지름을 기준으로 돌리면 구가 됩니다.

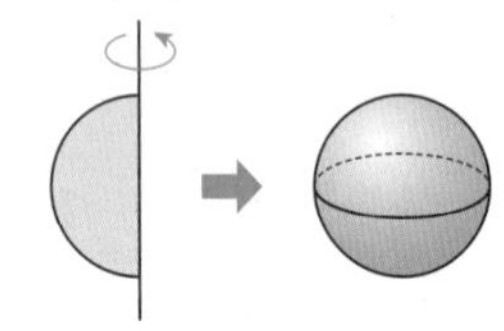

여기서 원뿔과 원기둥을 비교해 봅시다. 빈칸에 알맞은 것을 써넣으시오.

	공통점	차이점		
		밑면의 수	꼭짓점	앞에서 본 모양
원뿔	밑면의 모양은 원이다. 옆면은 굽은 면이다. 위에서 본 모양은 원이다.	1개	1개 있다.	
원기둥		2개	없다.	직사각형

답 이등변삼각형

구는 어느 방향에서 보아도 모양이 원입니다.

❶ 원뿔 ⇨ 밑면은 1개이고 옆면은 굽은 면이다.
❷ 구 ⇨ 밑면과 옆면이 없고 굽은 면으로 둘러싸여 있다.

따라 푸는 서술형

01 원뿔을 모두 고르시오.

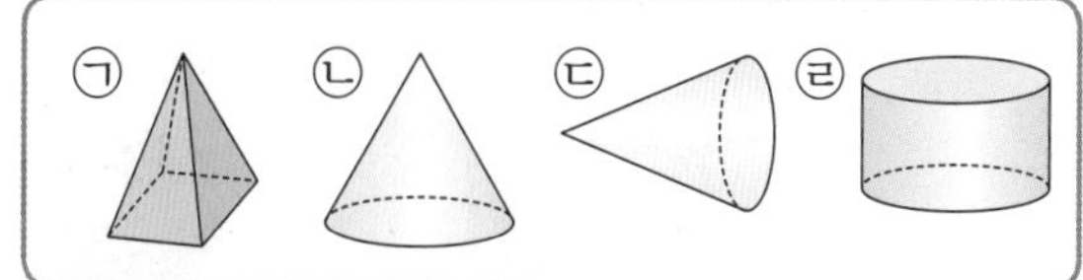

| 해결 과정 |

평평한 면이 원이고 옆을 둘러싼 면이 굽은 면인 뿔 모양의 입체도형을 원뿔이라고 합니다.
따라서 원뿔은 ☐, ☐입니다.

02 구를 모두 고르시오.

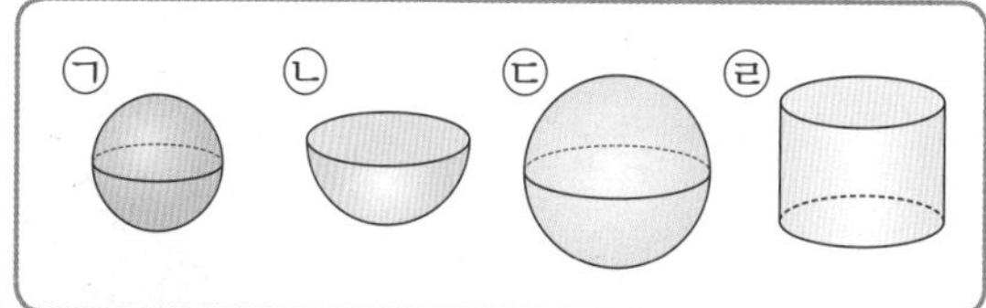

| 해결 과정 |

03 직각삼각형 모양의 종이를 한 변을 기준으로 돌려 원뿔을 만들었을 때, 높이는 몇 cm인지 구하시오.

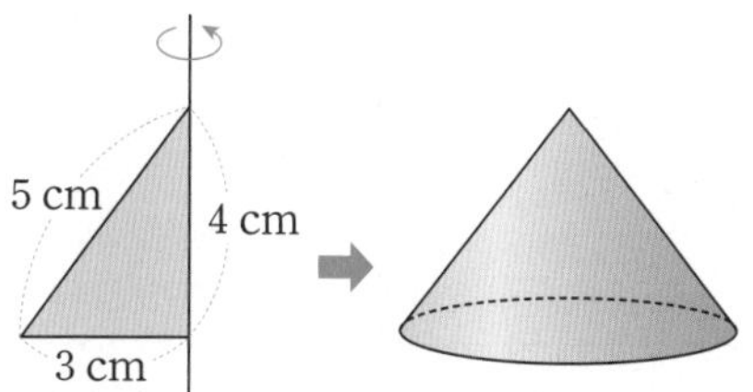

| 해결 과정 |

직각삼각형 모양의 종이를 한 변을 기준으로 돌리면 원뿔이 만들어집니다. 이때 원뿔의 높이는 직각삼각형의 높이와 같습니다.
따라서 원뿔의 높이는 ☐ cm입니다.

04 직각삼각형 모양의 종이를 한 변을 기준으로 돌려 원뿔을 만들었을 때, 밑면의 지름은 몇 cm인지 구하시오.

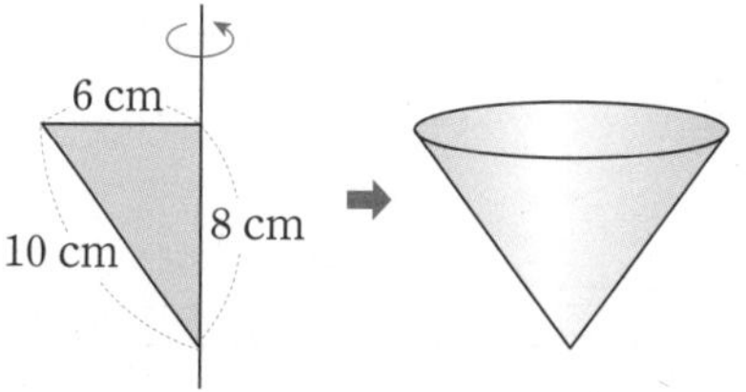

| 해결 과정 |

05 구의 지름은 몇 cm인지 구하시오.

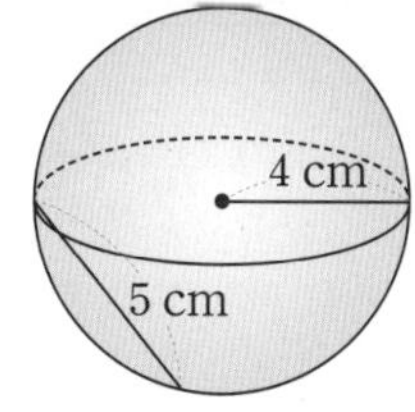

| 해결 과정 |

구의 반지름은 구의 중심에서 구의 겉면의 한 점을 이은 선분이므로 4 cm입니다.
따라서 구의 지름은 ☐ cm입니다.

06 구의 지름은 몇 cm인지 구하시오.

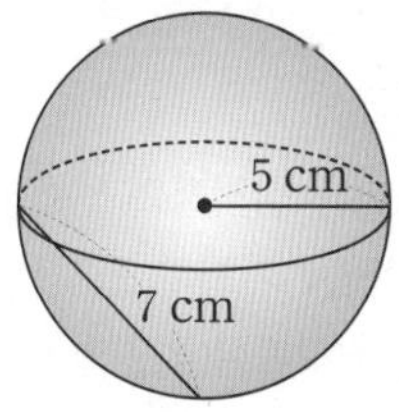

| 해결 과정 |

따라 푸는 문장제 서술형

07 캔과 고깔모자 중 어느 것의 높이가 더 높은지 구하시오.

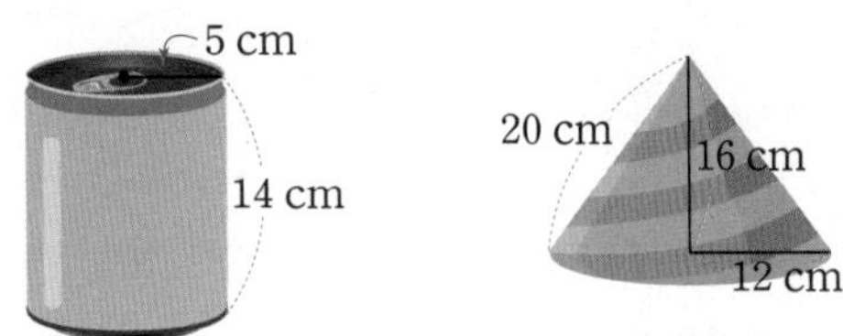

| 문제 이해 |

원기둥의 높이 ⇨ 두 밑면에 수직인 선분의 길이
원뿔의 높이 ⇨ 꼭짓점에서 밑면에 수직인 선분의 길이

| 해결 과정 |

캔의 높이는 14 cm이고 고깔모자의 높이는 16 cm입니다.
따라서 [　　　　]의 높이가 더 높습니다.

08 과자상자와 아이스크림 콘 중 어느 것의 높이가 더 높은지 구하시오.

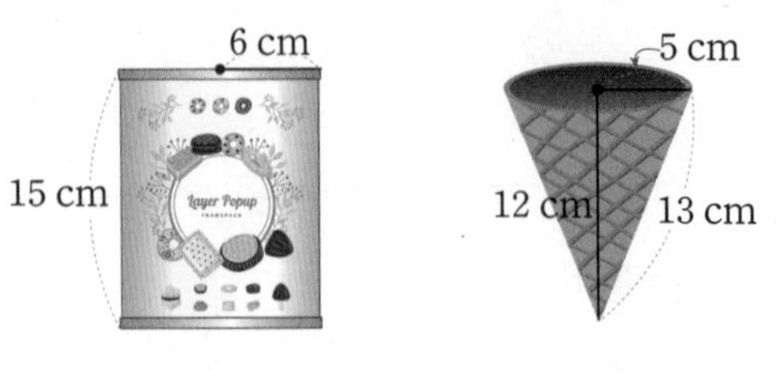

| 문제 이해 |

원기둥의 높이 ⇨ ______________________

원뿔의 높이 ⇨ ______________________

| 해결 과정 |

09 두 입체도형의 같은 점과 다른 점을 하나씩 쓰시오.

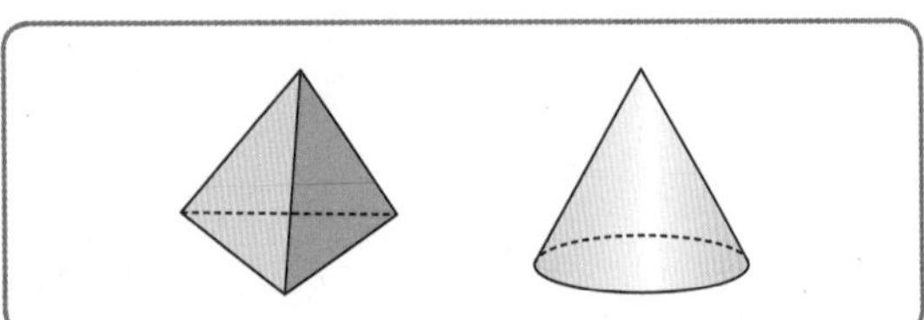

| 문제 이해 |

두 입체도형 ⇨ 삼각뿔, 원뿔

| 해결 과정 |

두 입체도형은 삼각뿔과 원뿔입니다. 두 입체도형의 같은 점은 꼭짓점을 가지고 있다는 점입니다. 두 입체도형의 다른 점은 삼각뿔은 밑면의 모양이 삼각형이고 원뿔은 밑면의 모양이 [　]이라는 것입니다.

10 두 입체도형의 같은 점과 다른 점을 하나씩 쓰시오.

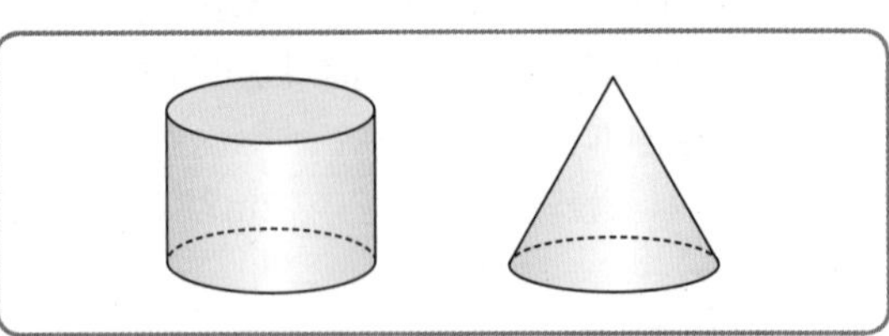

| 문제 이해 |

두 입체도형 ⇨ ______________________

| 해결 과정 |

스스로 푸는 서술형

11 수가 큰 것부터 차례대로 기호를 쓰시오.

㉠	㉡	㉢
원뿔에서 밑면의 수	원기둥에서 밑면의 수	구에서 밑면의 수

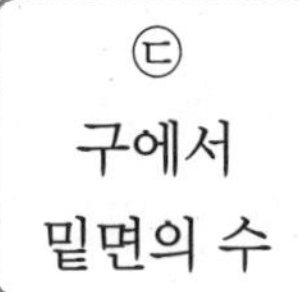

| 해결 과정 |

답

12 원뿔에서 모선의 길이와 높이의 차는 몇 cm인지 구하시오.

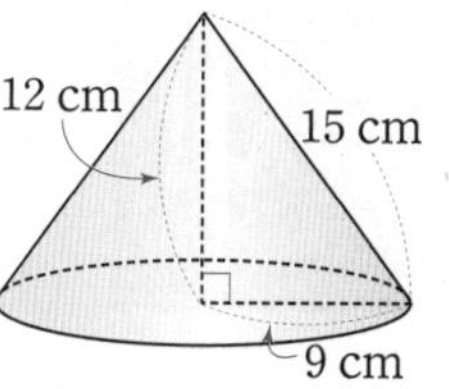

| 해결 과정 |

답

13 반원 모양의 종이를 지름을 기준으로 돌리면 구 모양이 됩니다. 이 구의 반지름은 몇 cm인지 구하시오.

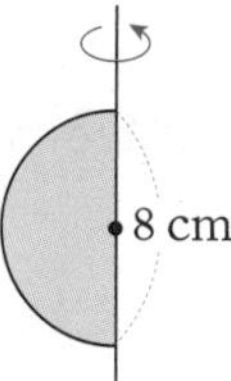

| 해결 과정 |

답

14 주어진 구는 지름이 몇 cm인 반원을 한 바퀴 돌려 만든 것인지 구하시오.

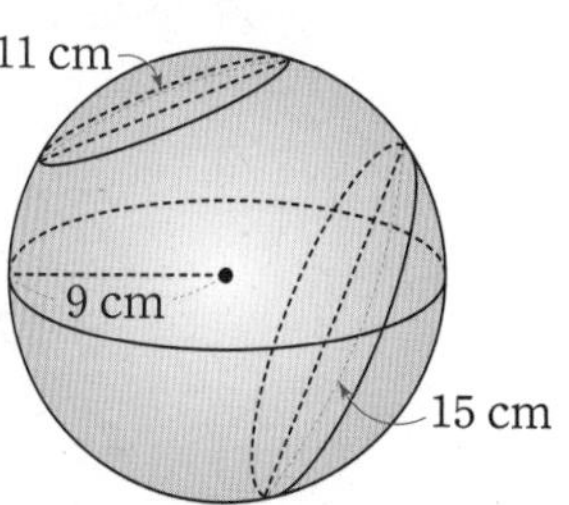

| 해결 과정 |

답

단계별로, 문제해결 능력을 키우자!

지금까지 우리는 원기둥, 원뿔, 구를 배웠습니다.
힘들었을 텐데, 잘 풀었어요!

자, 그럼 마지막으로 지금까지 배운 원기둥, 원뿔, 구를 모두 이용해서
우리 함께 서술형 문제를 해결해 볼까요?
단계별로 문제를 해결하다 보면 어려운 서술형도 쉬워질 거예요.

오른쪽 그림과 같은 원기둥 모양의 롤러에 페인트를 묻혀서 한 바퀴 굴렸더니 페인트가 칠해진 부분의 넓이는 628 cm^2였습니다. 롤러의 한 밑면의 지름은 몇 cm인지 구하시오. (원주율: 3.14)

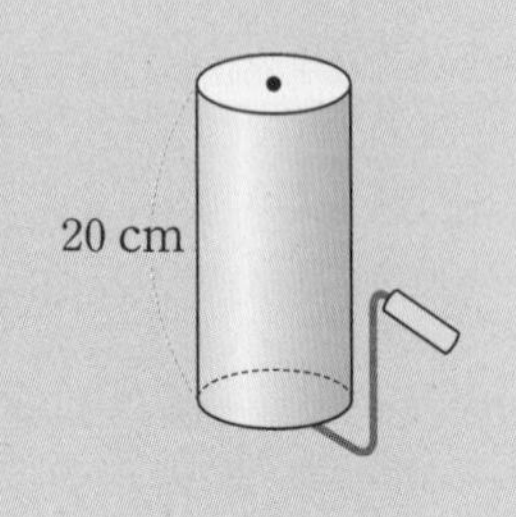

실타래 찾기 ▶ 롤러를 한 바퀴 굴렸을 때 페인트가 칠해진 부분의 넓이는 원기둥의 옆면의 넓이와 같습니다.

실타래 풀기 ▶ **단계 1 :** 롤러의 한 밑면의 둘레는 몇 cm인지 구합니다.

단계 2 : 롤러의 한 밑면의 지름은 몇 cm인지 구합니다.

나만의 해설 쓰기 :

정답 :

풍산자 라인업

초등 풍산자로 개념을 적용하고 응용하여 연산, 유형, 서술형을 풀면 실력이 탄탄해집니다

처음 배우는 수학을 쉽게 접근하는 초등 풍산자 로드맵

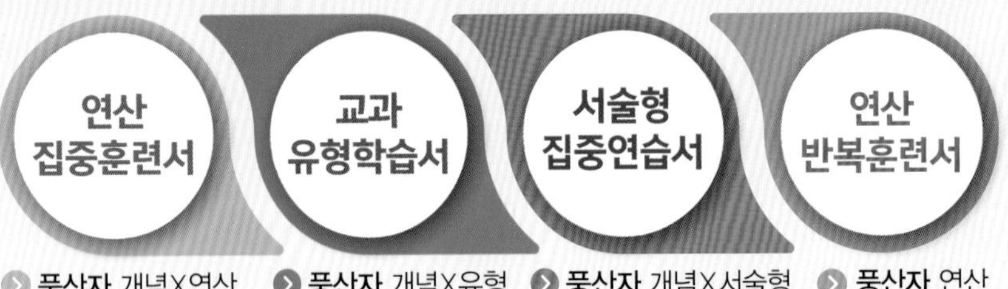

초등 풍산자 교재	하	중하	중	상
연산 집중훈련서 **풍산자 개념X연산**	개념 적용 연산 학습, 기초 실력 완성 (하 ~ 중)			
교과 유형학습서 **풍산자 개념X유형**		개념 응용 유형 학습, 기본 실력 완성 (중하 ~ 상)		
서술형 집중연습서 **풍산자 개념X서술형**		개념 활용 서술형 연습, 문제 해결력 완성 (중하 ~ 상)		
출시 예정 연산 반복훈련서 **풍산자 연산**	연산만 집중적으로 반복 학습 (하 ~ 중하)			

풍산자

개념 × 서술형

정답과 풀이

초등 **수학**

6-2

지학사

교과서 속 **서술형**을 빠르게!

풍산자

개념 × 서술형

정답과 풀이

초등 **수학 6-2**

1 ::: 분수의 나눗셈

01 분모가 같은 (분수)÷(분수)

p. 07~09

> 따라 푸는 서술형

01 <	**02** >	**03** ㉢
04 ㉠	**05** ㉢	**06** ㉡

> 따라 푸는 문장제 서술형

07 3	**08** 5개	**09** 5
10 3배	**11** 7	**12** 4도막

> 스스로 푸는 서술형

13 1, 3, 9	**14** $\frac{8}{9} \div \frac{5}{9}$	**15** 3
16 3그릇		

02 답 >

$\frac{6}{7} \div \frac{2}{7} = 6 \div 2 = 3$

$\frac{5}{9} \div \frac{4}{9} = 5 \div 4 = \frac{5}{4} = 1\frac{1}{4}$

따라서 ○ 안에 알맞은 것은 >입니다.

04 답 ㉠

㉠ $\frac{25}{32} \div \frac{5}{32} = 25 \div 5 = 5$

㉡ $\frac{3}{4} \div \frac{1}{4} = 3 \div 1 = 3$

㉢ $\frac{5}{12} \div \frac{7}{12} = 5 \div 7 = \frac{5}{7}$

따라서 계산 결과가 가장 큰 식은 ㉠입니다.

06 답 ㉡

㉠ $\frac{4}{11} \div \frac{1}{11} = 4 \div 1 = 4$

㉡ $\frac{15}{19} \div \frac{5}{19} = 15 \div 5 = 3$

㉢ $\frac{20}{21} \div \frac{5}{21} = 20 \div 5 = 4$

따라서 계산 결과가 다른 하나는 ㉡입니다.

08 답 5개

| 문제 이해 |

$\frac{3}{17}$ kg씩 나누어 담는다 ⇨ $\frac{3}{17}$으로 나눈다.

| 해결 과정 |

$\frac{15}{17} \div \frac{3}{17} = 15 \div 3 = 5$

따라서 5개의 봉지에 나누어 담을 수 있습니다.

10 답 3배

| 문제 이해 |

몇 배 ⇨ $\frac{18}{23} \div \frac{6}{23}$

| 해결 과정 |

$\frac{18}{23} \div \frac{6}{23} = 18 \div 6 = 3$

따라서 민준이가 마신 양은 영수가 마신 양의 3배입니다.

12 답 4도막

| 문제 이해 |

$\frac{6}{37}$ m씩 자른다 ⇨ $\frac{6}{37}$으로 나눈다.

| 해결 과정 |

$\frac{24}{37} \div \frac{6}{37} = 24 \div 6 = 4$

따라서 철사는 4도막이 됩니다.

13 답 1, 3, 9

$\frac{9}{22} \div \frac{\square}{22} = 9 \div \square$의 몫이 자연수이므로 □는 9의 약수이어야 합니다. 9의 약수는 1, 3, 9이므로 □ 안에 들어갈 수 있는 자연수는 1, 3, 9입니다.

14 답 $\frac{8}{9} \div \frac{5}{9}$

분모가 10보다 작은 진분수의 나눗셈이 되려면 두 분수의 분모는 9이어야 합니다.
따라서 주어진 조건을 만족하는 분수의 나눗셈식은 $\frac{8}{9} \div \frac{5}{9}$입니다.

15 답 3

가장 큰 수는 $\frac{39}{89}$이고 가장 작은 수는 $\frac{13}{89}$입니다.
따라서 가장 큰 수를 가장 작은 수로 나눈 몫은 $\frac{39}{89} \div \frac{13}{89} = 39 \div 13 = 3$입니다.

16 답 3그릇

$\frac{46}{47} \div \frac{12}{47} = 46 \div 12$이고 $46 \div 12 = 3 \cdots 10$입니다.
따라서 수제비를 3그릇까지 만들 수 있습니다.

02 분모가 다른 (분수)÷(분수)

p. 11~13

> 따라 푸는 서술형

01 $\frac{5}{6}$　02 $\frac{35}{18}$　03 $>$
04 $<$　05 $\frac{21}{8}$　06 $\frac{4}{21}$

> 따라 푸는 문장제 서술형

07 2　08 $\frac{3}{2}$배　09 10
10 6일　11 $\frac{6}{5}$　12 $\frac{15}{8}$ m

> 스스로 푸는 서술형

13 풀이 참조　14 1, 2, 3, 4, 5
15 $\frac{4}{5}$　16 $\frac{3}{4}\div\frac{3}{8}=2$

02 답 $\frac{35}{18}$

두 분수를 통분하여 계산하면

$\frac{5}{6}\div\frac{3}{7}=\frac{35}{42}\div\frac{18}{42}=35\div18=\frac{35}{18}$

04 답 $<$

$\frac{5}{7}\div\frac{5}{21}=\frac{15}{21}\div\frac{5}{21}=15\div5=3$

$\frac{7}{9}\div\frac{1}{6}=\frac{14}{18}\div\frac{3}{18}=14\div3=\frac{14}{3}=4\frac{2}{3}$

따라서 ○ 안에 알맞은 것은 $<$입니다.

06 답 $\frac{4}{21}$

어떤 수를 □라고 하면 $\square\times\frac{3}{5}=\frac{4}{35}$

$\square=\frac{4}{35}\div\frac{3}{5}=\frac{4}{35}\div\frac{21}{35}=4\div21=\frac{4}{21}$

따라서 어떤 수는 $\frac{4}{21}$입니다.

08 답 $\frac{3}{2}$배

| 문제 이해 |

몇 배 ⇨ $\frac{2}{9}\div\frac{4}{27}$

| 해결 과정 |

$\frac{2}{9}\div\frac{4}{27}=\frac{6}{27}\div\frac{4}{27}=6\div4=\frac{6}{4}=\frac{3}{2}$

따라서 동진이가 먹은 양은 미진이가 먹은 양의 $\frac{3}{2}$배입니다.

10 답 6일

| 문제 이해 |

벽을 칠하는 데 걸리는 날수

⇨ (전체 페인트의 양)÷(하루에 사용하는 페인트의 양)

| 해결 과정 |

$\frac{9}{11}\div\frac{3}{22}=\frac{18}{22}\div\frac{3}{22}=18\div3=6$

따라서 벽을 칠하는 데 6일이 걸립니다.

12 답 $\frac{15}{8}$ m

| 문제 이해 |

직사각형의 넓이 ⇨ (가로)×(세로)

| 해결 과정 |

가로를 □m라고 하면 $\square\times\frac{4}{21}=\frac{5}{14}$

$\square=\frac{5}{14}\div\frac{4}{21}=\frac{15}{42}\div\frac{8}{42}=15\div8=\frac{15}{8}$

따라서 직사각형의 가로는 $\frac{15}{8}$ m입니다.

13 답 풀이 참조

분모가 다른 분수의 나눗셈은 두 분수를 통분하여 분자끼리 나누어 계산합니다.

$\frac{5}{8}$와 $\frac{7}{12}$을 두 분모의 최소공배수인 24로 통분하면 각각 $\frac{15}{24}$, $\frac{14}{24}$이므로 바르게 계산하면

$\frac{5}{8}\div\frac{7}{12}=\frac{15}{24}\div\frac{14}{24}=15\div14=\frac{15}{14}$입니다.

14 답 1, 2, 3, 4, 5

$\frac{15}{17}\div\frac{5}{34}=\frac{30}{34}\div\frac{5}{34}=30\div5=6$

□$<$6이므로 □ 안에 들어갈 수 있는 자연수는 1, 2, 3, 4, 5입니다.

15 답 $\frac{4}{5}$

어떤 수를 □라고 하면 $\square\times\frac{9}{11}=\frac{18}{33}$이므로

$\square=\frac{18}{33}\div\frac{9}{11}=\frac{18}{33}\div\frac{27}{33}=18\div27=\frac{18}{27}=\frac{2}{3}$

따라서 어떤 수를 $\frac{5}{6}$로 나눈 몫은

$\frac{2}{3}\div\frac{5}{6}=\frac{4}{6}\div\frac{5}{6}=4\div5=\frac{4}{5}$입니다.

16 답 $\frac{3}{4}\div\frac{3}{8}=2$

만들 수 있는 진분수는 $\frac{3}{4}$, $\frac{3}{8}$, $\frac{4}{8}$이고 이 중에서 가장 큰 수는 $\frac{3}{4}\left(=\frac{6}{8}\right)$, 가장 작은 수는 $\frac{3}{8}$입니다.

몫이 가장 크려면 나누어지는 수를 가장 크게, 나누는 수를 가장 작게 해야 하므로 몫이 가장 큰 나눗셈식을 만들고 몫을 구하면

$\frac{3}{4}\div\frac{3}{8}=\frac{6}{8}\div\frac{3}{8}=6\div3=2$입니다.

03 (자연수)÷(분수)

p. 15~17

> 따라 푸는 서술형

01 22	**02** 28	**03** ㉢
04 ㉠	**05** >	**06** >

> 따라 푸는 문장제 서술형

07 20	**08** 49개	**09** 25
10 24상자	**11** 5	**12** 7 cm

> 스스로 푸는 서술형

13 6개	**14** 재호	**15** 28개
16 27		

02 답 28

자연수는 12, 분수는 $\frac{3}{7}$이므로 자연수를 분수로 나눈 몫은 $12\div\frac{3}{7}=(12\div3)\times7=28$입니다.

04 답 ㉠

㉠ $15\div\frac{5}{6}=(15\div5)\times6=18$

㉡ $21\div\frac{7}{11}=(21\div7)\times11=33$

㉢ $16\div\frac{4}{5}=(16\div4)\times5=20$

따라서 계산 결과가 가장 작은 식은 ㉠입니다.

06 답 >

$32\div\frac{4}{9}=(32\div4)\times9=72$

$28\div\frac{4}{7}=(28\div4)\times7=49$

따라서 ○ 안에 알맞은 것은 >입니다.

08 답 49개

| 문제 이해 |

$\frac{2}{7}$ m씩 자른다 ⇨ $\frac{2}{7}$로 나눈다.

| 해결 과정 |

$14\div\frac{2}{7}=(14\div2)\times7=49$

따라서 머리끈을 모두 49개 만들 수 있습니다.

10 답 24상자

| 문제 이해 |

1시간 동안 수확할 수 있는 귤의 양

⇨ (귤의 양)÷(걸린 시간)

| 해결 과정 |

$16\div\frac{2}{3}=(16\div2)\times3=24$

따라서 지수네 가족이 1시간 동안 수확할 수 있는 귤은 24상자입니다.

12 답 7 cm

| 문제 이해 |

삼각형의 넓이 ⇨ (밑변)×(높이)÷2

| 해결 과정 |

밑변을 □cm라고 하면 $\square\times\frac{6}{7}\div2=3$

$\square=3\times2\div\frac{6}{7}=6\div\frac{6}{7}=(6\div6)\times7=7$

따라서 삼각형의 밑변은 7 cm입니다.

13 답 6개

$14\div\frac{7}{9}=(14\div7)\times9=18$

$10\div\frac{2}{5}=(10\div2)\times5=25$

따라서 □ 안에 들어갈 수 있는 자연수는 19, 20, 21, 22, 23, 24의 6개입니다.

14 답 재호

40분$=\frac{40}{60}$시간$=\frac{2}{3}$시간, 45분$=\frac{45}{60}$시간$=\frac{3}{4}$시간

(1시간 동안 달린 거리)=(전체 거리)÷(걸린 시간)이므로 은지와 재호가 각각 1시간 동안 달린 거리는

$6\div\frac{2}{3}=(6\div2)\times3=9$(km)

$9\div\frac{3}{4}=(9\div3)\times4=12$(km)

따라서 1시간 동안 더 많이 달린 학생은 재호입니다.

15 답 28개

$8\div\frac{2}{7}=(8\div2)\times7=28$이므로 머핀을 28개 만들 수 있습니다.

16 답 27

어떤 수를 □라고 하면 $\square\times\frac{2}{3}=18$

$\square=18\div\frac{2}{3}=(18\div2)\times3=27$

따라서 어떤 수는 27입니다.

04 (분수)÷(분수)

p. 19~21

> 따라 푸는 서술형

01 2	02 $\frac{84}{5}$	03 $\frac{3}{4}$
04 $\frac{16}{15}$	05 <	06 >

> 따라 푸는 문장제 서술형

07 4550	08 5000원	09 $\frac{7}{9}$
10 $\frac{3}{4}$ kg	11 9	12 14개

> 스스로 푸는 서술형

13 ㉠, ㉡, ㉢	14 $\frac{24}{7}$ cm	15 $\frac{27}{10}$
16 60 m		

02 답 $\frac{84}{5}$

대분수를 가분수로 바꾸어 계산하면

$\frac{12}{5}\div\frac{1}{7}=\frac{12}{5}\times7=\frac{84}{5}$

04 답 $\frac{16}{15}$

나눗셈을 곱셈으로 고치고 나누는 분수의 분모와 분자를 바꾸어 계산해야 합니다.

따라서 바르게 계산하면 $\frac{4}{9}\div\frac{5}{12}=\frac{4}{\cancel{9}_{3}}\times\frac{\cancel{12}^{4}}{5}=\frac{16}{15}$

06 답 >

$1\frac{2}{3}\div\frac{1}{12}=\frac{5}{3}\div\frac{1}{12}=\frac{5}{\cancel{3}_{1}}\times\cancel{12}^{4}=20$

$\frac{14}{23}\div\frac{1}{3}=\frac{14}{23}\times3=\frac{42}{23}=1\frac{19}{23}$

따라서 ○ 안에 알맞은 것은 >입니다.

08 답 5000원

| 문제 이해 |

순대 1 m의 가격 ⇨ (가격)÷(순대의 길이)

| 해결 과정 |

$2000\div\frac{2}{5}=\cancel{2000}^{1000}\times\frac{5}{\cancel{2}_{1}}=5000$

따라서 순대 1 m의 가격은 5000원입니다.

10 답 $\frac{3}{4}$ kg

| 문제 이해 |

보리 한 봉지의 무게 ⇨ (무게)÷(보리의 양)

| 해결 과정 |

$$\frac{2}{3}\div\frac{8}{9}=\frac{\overset{1}{\cancel{2}}}{\underset{1}{\cancel{3}}}\times\frac{\overset{3}{\cancel{9}}}{\underset{4}{\cancel{8}}}=\frac{3}{4}$$

따라서 보리 한 봉지의 무게는 $\frac{3}{4}$ kg입니다.

12 답 14개

| 문제 이해 |

$\frac{3}{4}$컵이 필요하다 ⇨ $\frac{3}{4}$으로 나눈다.

| 해결 과정 |

$$10\frac{1}{2}\div\frac{3}{4}=\frac{21}{2}\div\frac{3}{4}=\frac{\overset{7}{\cancel{21}}}{\underset{1}{\cancel{2}}}\times\frac{\overset{2}{\cancel{4}}}{\underset{1}{\cancel{3}}}=14$$

따라서 만들 수 있는 케이크는 모두 14개입니다.

13 답 ㉠, ㉡, ㉢

㉠ $5\frac{1}{4}\div\frac{7}{10}=\frac{\overset{3}{\cancel{21}}}{\underset{2}{\cancel{4}}}\times\frac{\overset{5}{\cancel{10}}}{\underset{1}{\cancel{7}}}=\frac{15}{2}=7\frac{1}{2}$

㉡ $3\div\frac{5}{4}=3\times\frac{4}{5}=\frac{12}{5}=2\frac{2}{5}$

㉢ $\frac{4}{9}\div\frac{5}{6}=\frac{4}{\underset{3}{\cancel{9}}}\times\frac{\overset{2}{\cancel{6}}}{5}=\frac{8}{15}$

따라서 계산 결과가 큰 것부터 차례대로 기호를 쓰면 ㉠, ㉡, ㉢입니다.

14 답 $\frac{24}{7}$ cm

직사각형의 넓이는

$3\frac{3}{7}\times\frac{4}{9}=\frac{\overset{8}{\cancel{24}}}{7}\times\frac{4}{\underset{3}{\cancel{9}}}=\frac{32}{21}(\mathrm{cm}^2)$입니다.

두 도형의 넓이가 같으므로 삼각형의 높이를 □cm라고 하면 $\frac{8}{9}\times□\div2=\frac{32}{21}$입니다.

$$□=\frac{32}{21}\times2\div\frac{8}{9}=\frac{\overset{8}{\cancel{64}}}{\underset{7}{\cancel{21}}}\times\frac{\overset{3}{\cancel{9}}}{\underset{1}{\cancel{8}}}=\frac{24}{7}$$

따라서 삼각형의 높이는 $\frac{24}{7}$ cm입니다.

15 답 $\frac{27}{10}$

어떤 수를 □라고 하면 $□\times\frac{5}{6}=1\frac{7}{8}$이므로

$$□=1\frac{7}{8}\div\frac{5}{6}=\frac{15}{8}\div\frac{5}{6}=\frac{\overset{3}{\cancel{15}}}{\underset{4}{\cancel{8}}}\times\frac{\overset{3}{\cancel{6}}}{\underset{1}{\cancel{5}}}=\frac{9}{4}$$

따라서 바르게 계산하면 $\frac{9}{4}\div\frac{5}{6}=\frac{9}{\underset{2}{\cancel{4}}}\times\frac{\overset{3}{\cancel{6}}}{5}=\frac{27}{10}$입니다.

16 답 60 m

처음 공을 떨어뜨린 높이를 □m라고 하면

$□\times\frac{3}{10}\times\frac{3}{10}=5\frac{2}{5}$이므로

$$□=5\frac{2}{5}\div\frac{3}{10}\div\frac{3}{10}=\frac{\overset{3}{\cancel{27}}}{\underset{1}{\cancel{5}}}\times\frac{\overset{2}{\cancel{10}}}{\underset{1}{\cancel{3}}}\times\frac{10}{\underset{1}{\cancel{3}}}=60$$

따라서 처음 공을 떨어뜨린 높이는 60 m입니다.

p. 22

단계별로, 문제해결 능력을 키우자!

벽의 넓이는 $5\times2\frac{1}{2}=5\times\frac{5}{2}=\frac{25}{2}=12\frac{1}{2}(\mathrm{m}^2)$입니다.

따라서 $12\frac{1}{2}$ m^2의 벽을 칠하는 데 $1\frac{5}{6}$ L의 페인트가 사용되었으므로 1 L의 페인트로 칠한 벽의 넓이는

$$12\frac{1}{2}\div1\frac{5}{6}=\frac{25}{2}\div\frac{11}{6}=\frac{25}{\underset{1}{\cancel{2}}}\times\frac{\overset{3}{\cancel{6}}}{11}$$

$=\frac{75}{11}=6\frac{9}{11}(\mathrm{m}^2)$입니다.

답 $6\frac{9}{11}$ m^2

2 ::: 소수의 나눗셈

05 (소수)÷(소수) (1)

p. 25~27

> 따라 푸는 서술형

01 15	**02** 8	**03** =
04 <	**05** 20	**06** 21

> 따라 푸는 문장제 서술형

07 8	**08** 16개	**09** 7
10 32도막	**11** 13	**12** 9 cm

> 스스로 푸는 서술형

13 8개	**14** ㉢, ㉡, ㉠	**15** 36개
16 5.94÷0.66=9		

02 답 8

큰 수는 0.56, 작은 수는 0.07이므로 큰 수를 작은 수로 나눈 몫은 0.56÷0.07=56÷7=8입니다.

04 답 <

0.34÷0.17=34÷17=2

4.5÷0.3=45÷3=15

따라서 ○ 안에 알맞은 것은 <입니다.

06 답 21

1.32÷0.06=132÷6=22

□<22이므로 □ 안에 들어갈 수 있는 가장 큰 자연수는 21입니다.

08 답 16개

| 문제 이해 |

0.9 L씩 나누어 담는다 ⇨ 0.9로 나눈다.

| 해결 과정 |

14.4÷0.9=144÷9=16

따라서 16개의 컵에 나누어 담을 수 있습니다.

10 답 32도막

| 문제 이해 |

0.8 cm씩 자른다 ⇨ 0.8로 나눈다.

| 해결 과정 |

25.6÷0.8=256÷8=32

따라서 띠 골판지는 32도막이 됩니다.

12 답 9 cm

| 문제 이해 |

평행사변형의 넓이 ⇨ (밑변)×(높이)

| 해결 과정 |

밑변을 □cm라고 하면 □×1.7=15.3

□=15.3÷1.7=153÷17=9

따라서 평행사변형의 밑변은 9 cm입니다.

13 답 8개

8.25÷0.15=825÷15=55

2.56÷0.04=256÷4=64

따라서 □ 안에 들어갈 수 있는 자연수는 56, 57, 58, 59, 60, 61, 62, 63의 8개입니다.

14 답 ㉢, ㉡, ㉠

㉠ 3.23÷0.19=323÷19=17

㉡ 4.2÷0.2=42÷2=21

㉢ 59.8÷2.6=598÷26=23

따라서 계산 결과가 큰 것부터 차례대로 기호를 쓰면 ㉢, ㉡, ㉠입니다.

15 답 36개

28.8÷0.8=288÷8=36

따라서 쌀을 나누어 담기 위해서는 36개의 통이 필요합니다.

16 답 5.94÷0.66=9

나누는 수와 나누어지는 수를 각각 100배 하여 594÷66이 되는 나눗셈식은 5.94÷0.66입니다.

이 식을 계산하면 5.94÷0.66=594÷66=9입니다.

06 (소수)÷(소수) (2)

p. 29~31

> 따라 푸는 서술형

01 같습니다 **02** 풀이 참조 **03** 9
04 18 **05** $>$ **06** $<$

> 따라 푸는 문장제 서술형

07 21 **08** 7배 **09** 13
10 24개 **11** 17 **12** 38개

> 스스로 푸는 서술형

13 풀이 참조 **14** 42 **15** 8배
16 5개

02 답 풀이 참조

$3.68 \div 0.16 = \frac{368}{100} \div \frac{16}{100}$
$= 368 \div 16$
$= 23$

$$\begin{array}{r} 23 \\ 0.16\overline{)3.68} \\ \underline{32} \\ 48 \\ \underline{48} \\ 0 \end{array}$$

따라서 두 가지 방법으로 계산한 결과는 같습니다.

04 답 18

큰 수는 4.14, 작은 수는 0.23이므로 큰 수를 작은 수로 나눈 몫은

$4.14 \div 0.23 = \frac{414}{100} \div \frac{23}{100} = 414 \div 23 = 18$입니다.

06 답 $<$

$1.56 \div 0.13 = \frac{156}{100} \div \frac{13}{100} = 156 \div 13 = 12$

$5.32 \div 0.28 = \frac{532}{100} \div \frac{28}{100} = 532 \div 28 = 19$

따라서 ○ 안에 알맞은 것은 $<$ 입니다.

08 답 7배

| 문제 이해 |

몇 배 ⇨ $16.8 \div 2.4$

| 해결 과정 |

$16.8 \div 2.4 = \frac{168}{10} \div \frac{24}{10} = 168 \div 24 = 7$

따라서 예진이가 산 사과의 무게는 예원이가 산 사과의 무게의 7배입니다.

10 답 24개

| 문제 이해 |

0.31 L씩 나누어 담는다 ⇨ 0.31로 나눈다.

| 해결 과정 |

$7.44 \div 0.31 = \frac{744}{100} \div \frac{31}{100} = 744 \div 31 = 24$

따라서 24개의 컵에 나누어 담을 수 있습니다.

12 답 38개

| 문제 이해 |

필요한 가로등의 수

⇨ (도로 한 쪽의 길이)÷(가로등 사이의 간격)+1

| 해결 과정 |

$5.18 \div 0.14 = \frac{518}{100} \div \frac{14}{100} = 518 \div 14 = 37$

따라서 필요한 가로등은 37+1=38(개)입니다.

13 답 풀이 참조

몫의 소수점은 나누어지는 수의 옮겨진 소수점의 위치와 같은 자리에 찍어야 하는데 잘못 찍었습니다. 바르게 계산하면 다음과 같습니다.

$$\begin{array}{r} 64 \\ 0.09\overline{)5.76} \\ \underline{54} \\ 36 \\ \underline{36} \\ 0 \end{array}$$

14 답 42

어떤 수를 □라고 하면 $0.18 \times □ = 7.56$이므로

$□ = 7.56 \div 0.18 = \frac{756}{100} \div \frac{18}{100} = 756 \div 18 = 42$

따라서 어떤 수는 42입니다.

15 답 8배

$3.52 \div 0.44 = \frac{352}{100} \div \frac{44}{100} = 352 \div 44 = 8$

따라서 집에서 학교까지의 거리는 집에서 도서관까지의 거리의 8배입니다.

16 답 5개

$5.67 \div 0.81 = \frac{567}{100} \div \frac{81}{100} = 567 \div 81 = 7$

$92.3 \div 7.1 = \frac{923}{10} \div \frac{71}{10} = 923 \div 71 = 13$

따라서 □ 안에 들어갈 수 있는 자연수는 8, 9, 10, 11, 12의 5개입니다.

07 (소수)÷(소수) (3)

p. 33~35

> 따라 푸는 서술형

01 같습니다 **02** 풀이 참조 **03** 15
04 4.2 **05** > **06** <

> 따라 푸는 문장제 서술형

07 60 **08** 80도막 **09** 4.7
10 2.5 cm **11** 1.2 **12** 1.8배

> 스스로 푸는 서술형

13 ㉢, ㉠, ㉡ **14** 풀이 참조
15 8.76÷2.4=3.65 **16** 12600원

02 답 풀이 참조

[방법 1] 나누는 수와 나누어지는 수에 10배 하기
6.88÷1.6 ⇨ 68.8÷16=4.3
[방법 2] 나누는 수와 나누어지는 수에 100배 하기
6.88÷1.6 ⇨ 688÷160=4.3
따라서 두 가지 방법으로 계산한 결과는 같습니다.

04 답 4.2

큰 수는 3.78, 작은 수는 0.9이므로 큰 수를 작은 수로 나눈 몫은
$3.78 \div 0.9 = \frac{378}{100} \div \frac{90}{100} = 378 \div 90 = 4.2$
입니다.

06 답 <

$5.28 \div 1.6 = \frac{528}{100} \div \frac{160}{100} = 528 \div 160 = 3.3$
$3.68 \div 0.8 = \frac{368}{100} \div \frac{80}{100} = 368 \div 80 = 4.6$
따라서 ○ 안에 알맞은 것은 < 입니다.

08 답 80도막

| 문제 이해 |
0.18 m씩 자른다 ⇨ 0.18로 나눈다.
| 해결 과정 |
$14.4 \div 0.18 = \frac{1440}{100} \div \frac{18}{100} = 1440 \div 18 = 80$
따라서 색 테이프는 80도막이 됩니다.

10 답 2.5 cm

| 문제 이해 |
직사각형의 넓이 ⇨ (가로)×(세로)
| 해결 과정 |
가로를 □cm라고 하면 □×4.7=11.75
$\square = 11.75 \div 4.7 = \frac{1175}{100} \div \frac{470}{100}$
$= 1175 \div 470 = 2.5$
따라서 직사각형의 가로는 2.5 cm입니다.

12 답 1.8배

| 문제 이해 |
몇 배 ⇨ 7.74÷4.3
| 해결 과정 |
$7.74 \div 4.3 = \frac{774}{100} \div \frac{430}{100} = 774 \div 430 = 1.8$
따라서 수정이네 강아지의 몸무게는 지민이네 강아지의 몸무게의 1.8배입니다.

13 답 ㉢, ㉠, ㉡

㉠ $8.64 \div 1.6 = \frac{864}{100} \div \frac{160}{100} = 864 \div 160 = 5.4$
㉡ $11.96 \div 5.2 = \frac{1196}{100} \div \frac{520}{100} = 1196 \div 520 = 2.3$
㉢ $5.67 \div 0.9 = \frac{567}{100} \div \frac{90}{100} = 567 \div 90 = 6.3$
따라서 계산 결과가 큰 것부터 차례대로 기호를 쓰면 ㉢, ㉠, ㉡입니다.

14 답 풀이 참조

나누는 수와 나누어지는 수의 분모를 같게 고쳐야 하는데 다르게 고쳤습니다. 바르게 계산하면
$5.36 \div 0.8 = \frac{536}{100} \div \frac{80}{100} = 536 \div 80 = 6.7$입니다.

15 답 8.76÷2.4=3.65

나눗셈식에서 몫은 나누어지는 수가 클수록, 나누는 수가 작을수록 커집니다.
따라서 만들 수 있는 가장 큰 소수 두 자리 수는 8.76이고 가장 작은 소수 한 자리 수는 2.4이므로 몫이 가장 큰 나눗셈식을 만들고 몫을 구하면
8.76÷2.4=3.65입니다.

16 답 12600원

(휘발유 1 L로 갈 수 있는 거리)
=24.15÷2.1=11.5(km)
(필요한 휘발유의 양)
=(전체 거리)÷(휘발유 1 L로 갈 수 있는 거리)
=80.5÷11.5=7(L)
따라서 필요한 휘발유의 가격은
7×1800=12600(원)입니다.

08 (자연수)÷(소수)

p. 37~39

> 따라 푸는 서술형

01 같습니다 **02** 풀이 참조 **03** 5
04 16 **05** $<$ **06** $<$

> 따라 푸는 문장제 서술형

07 40 **08** 30개 **09** 2000
10 4000원 **11** 5 **12** 12 cm

> 스스로 푸는 서술형

13 6개 **14** 192 **15** 풀이 참조
16 58그루

02 답 풀이 참조

$85\div0.05=\frac{8500}{100}\div\frac{5}{100}$
$=8500\div5$
$=1700$

$$\begin{array}{r} 1700 \\ 0.05\overline{)85.00} \\ \underline{5} \\ 35 \\ \underline{35} \\ 0 \end{array}$$

따라서 두 가지 방법으로 계산한 결과는 같습니다.

04 답 16

자연수는 20, 소수는 1.25이므로

$20\div1.25=\frac{2000}{100}\div\frac{125}{100}=2000\div125=16$

입니다.

06 답 $<$

$34\div8.5=\frac{340}{10}\div\frac{85}{10}=340\div85=4$

$14\div2.8=\frac{140}{10}\div\frac{28}{10}=140\div28=5$

따라서 ○ 안에 알맞은 것은 $<$입니다.

08 답 30개

| 문제 이해 |

설탕 63컵으로 만들 수 있는 머핀의 수 ⇨ $63\div2.1$

| 해결 과정 |

$63\div2.1=\frac{630}{10}\div\frac{21}{10}=630\div21=30$

따라서 머핀을 30개 만들 수 있습니다.

10 답 4000원

| 문제 이해 |

옷감 1 m의 가격 ⇨ (옷감의 가격)÷(옷감의 길이)

| 해결 과정 |

$6800\div1.7=\frac{68000}{10}\div\frac{17}{10}=68000\div17=4000$

따라서 옷감 1 m의 가격은 4000원입니다.

12 답 12 cm

| 문제 이해 |

평행사변형의 넓이 ⇨ (밑변)×(높이)

| 해결 과정 |

높이를 □cm라고 하면 $6.5\times\square=78$

$\square=78\div6.5=\frac{780}{10}\div\frac{65}{10}=780\div65=12$

따라서 평행사변형의 높이는 12 cm입니다.

13 답 6개

$36\div2.4=\frac{360}{10}\div\frac{24}{10}=360\div24=15$

$33\div1.5=\frac{330}{10}\div\frac{15}{10}=330\div15=22$

따라서 □ 안에 들어갈 수 있는 자연수는
16, 17, 18, 19, 20, 21의 6개입니다.

14 답 192

어떤 수를 □라고 하면 $\square\times0.25=12$

$\square=12\div0.25=\frac{1200}{100}\div\frac{25}{100}=1200\div25=48$

따라서 바르게 계산한 값은

$48\div0.25=\frac{4800}{100}\div\frac{25}{100}=4800\div25=192$

입니다.

15 답 풀이 참조

소수점을 옮겨서 계산한 경우, 몫의 소수점은 나누어지는 수의 옮긴 소수점과 같은 위치에 찍어야 합니다.
따라서 바르게 계산하면 다음과 같습니다.

$$\begin{array}{r} 85 \\ 0.4\overline{)34.0} \\ \underline{32} \\ 20 \\ \underline{20} \\ 0 \end{array}$$

16 답 58그루

0.189 km=189 m입니다.
길 한 쪽에 필요한 나무의 수는
(길 한 쪽의 길이)÷(나무 사이의 간격)+1이므로

$189\div6.75=\frac{18900}{100}\div\frac{675}{100}=18900\div675=28$

(길 한 쪽에 필요한 나무의 수)=28+1=29(그루)
따라서 길 양 쪽에 필요한 나무는
29×2=58(그루)입니다.

09 몫의 반올림과 나누어 주고 남는 양

p. 41~43

> 따라 푸는 서술형

01 0.1 **02** 0.3 **03** <

04 > **05** 3.7

06 몫: 5, 나머지: 2.3

> 따라 푸는 문장제 서술형

07 1.49 **08** 1.149배 **09** 3.4

10 6봉지, 4.9 kg **11** 41.9

12 70.12

> 스스로 푸는 서술형

13 3 **14** ㉠ **15** 16.2 km

16 풀이 참조

02 답 0.3

2÷7=0.28……이므로

반올림하여 소수 첫째 자리까지 나타내면 0.3입니다.

04 답 >

6.8÷9=0.75……이므로

반올림하여 소수 첫째 자리까지 나타내면 0.8입니다.

따라서 ○ 안에 알맞은 것은 >입니다.

06 답 몫: 5, 나머지: 2.3

42.3÷8=5…2.3이므로

몫을 자연수 부분까지 구하면 5이고 나머지는 2.3입니다.

08 답 1.149배

| 문제 이해 |

몇 배 ⇨ 54÷47

| 해결 과정 |

54÷47=1.1489……이므로

반올림하여 소수 셋째 자리까지 나타내면 지원이의 몸무게는 정호의 몸무게의 1.149배입니다.

10 답 6봉지, 4.9 kg

| 문제 이해 |

5 kg씩 나누어 담는다 ⇨ 5로 나눈다.

| 해결 과정 |

34.9÷5=6…4.9이므로

6봉지에 나누어 담을 수 있고 남는 콩은 4.9 kg입니다.

12 답 70.12

| 문제 이해 |

어떤 수 ⇨ 7×9+0.11

| 해결 과정 |

어떤 수를 □라고 하면 □÷9=7…0.11이므로

□=7×9+0.11=63.11입니다.

따라서 바르게 계산하면 63.11÷0.9=70.122……이므로 몫을 반올림하여 소수 둘째 자리까지 나타내면 70.12입니다.

13 답 3

98.2÷3=32.7333……이므로

몫의 소수 둘째 자리부터 숫자 3이 반복됩니다.

따라서 몫의 소수 아홉째 자리 숫자는 3입니다.

14 답 ㉠

㉠ 58.3÷4=14.575 ⇨ 14.58

㉡ 12.5÷0.9=13.888…… ⇨ 13.89

㉢ 41.5÷3.3=12.575…… ⇨ 12.58

따라서 반올림하여 소수 둘째 자리까지 나타내었을 때 몫이 가장 큰 것은 ㉠입니다.

15 답 16.2 km

78분=$\frac{78}{60}$시간=$\frac{13}{10}$시간=1.3시간입니다.

21.1÷1.3=16.23……이므로

1시간 동안 달린 거리를 소수 첫째 자리까지 나타내면 16.2 km입니다.

16 답 풀이 참조

사람 수는 자연수이므로 몫을 자연수까지만 구해야 합니다.

32.4÷6=5…2.4

이므로 딸기를 나누어 주고 남는 딸기의 양은 2.4 kg입니다.

p. 44

단계별로, 문제해결 능력을 키우자!

(가지고 있는 분홍색 실의 길이)÷(목도리 한 개를 만드는 데 필요한 분홍색 실의 길이)의 몫을 자연수까지 구한 값이 만들 수 있는 목도리의 수입니다.

즉, 83.7÷7.5=11…1.2이므로 목도리를 최대 11개까지 만들 수 있습니다.

따라서 하얀색 실은 적어도 11×2=22(m) 필요합니다.

답 22 m

3 ::: 공간과 입체

10 위, 앞, 옆에서 본 모양

p. 47~49

> 따라 푸는 서술형

01 없습니다　02 풀이 참조　03 9
04 10개　05 풀이 참조　06 풀이 참조

> 따라 푸는 문장제 서술형

07 7　08 8개　09 ㉢
10 ㉡, ㉢

> 스스로 푸는 서술형

11 8개　12 풀이 참조　13 ㉡
14 풀이 참조

02 답 풀이 참조

쌓기나무 7개로 쌓은 것이므로 뒤에 숨겨진 쌓기나무는 없습니다. 따라서 위에서 본 모양은 오른쪽 그림과 같습니다.

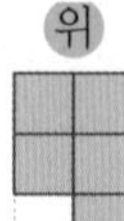

04 답 10개

1층이 5개, 2층이 4개, 3층이 1개이므로 주어진 모양과 똑같이 쌓는 데 필요한 쌓기나무는 10개입니다.

06 답 풀이 참조

옆에서 본 모양은 각 줄에서 가장 높은 층수만큼 그리면 됩니다. 따라서 옆에서 본 모양은 오른쪽 그림과 같습니다.

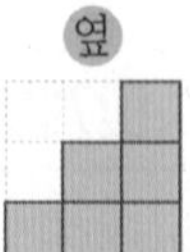

08 답 8개

| 문제 이해 |

앞, 옆에서 본 모양
⇨ 각 방향에서 각 줄의 가장 높은 층수만큼 그린 모양

| 해결 과정 |

위에서 본 모양을 통해 1층의 쌓기나무는 5개입니다. 앞에서 본 모양을 통해 ☆ 부분은 각각 1개이고, ○ 부분은 3개 이하입니다. 옆에서 본 모양을 통해 ○ 부분 중 △ 부분은 쌓기나무가 1개, □ 부분은 쌓기나무가 2개, ♡ 부분은 쌓기나무가 3개입니다.
따라서 똑같은 모양으로 쌓는 데 필요한 쌓기나무는 8개입니다.

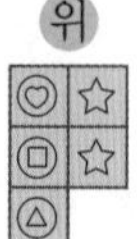

10 답 ㉡, ㉢

| 문제 이해 |

상자에 넣을 수 있는 모양
⇨ 쌓기나무가 'ㄴ'자로 만들어진 모양

| 해결 과정 |

㉡, ㉢을 넣기 위해서는 'ㅁ' 모양의 구멍이나 'ㄷ' 모양의 구멍이 필요하기 때문에 ㉡과 ㉢은 상자에 넣을 수 없습니다.
따라서 상자에 넣을 수 없는 모양은 ㉡과 ㉢입니다.

11 답 8개

위에서 본 모양을 통해 1층의 쌓기나무는 5개입니다. 앞에서 본 모양을 통해 ☆ 부분은 각각 1개이고, ♡ 부분은 2개, ○ 부분은 3개 이하입니다. 옆에서 본 모양을 통해 ○ 부분 중 △ 부분은 쌓기나무가 1개, □ 부분은 쌓기나무가 3개입니다.
따라서 똑같은 모양으로 쌓는 데 필요한 쌓기나무는 8개입니다.

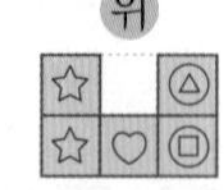

12 답 풀이 참조

쌓기나무 13개로 쌓은 것이므로 뒤에 숨겨진 쌓기나무는 없습니다. 따라서 위에서 본 모양은 오른쪽 그림과 같습니다.
앞, 옆에서 본 모양은 각 줄의 가장 높은 층수만큼 그리면 됩니다. 따라서 앞, 옆에서 본 모양은 각각 다음과 같습니다.

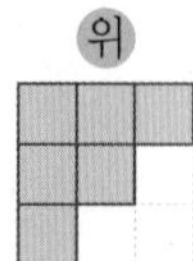

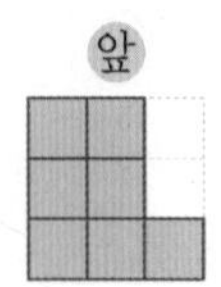

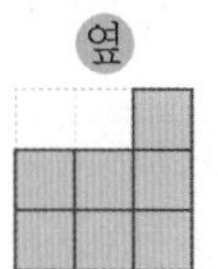

13 답 ㉡

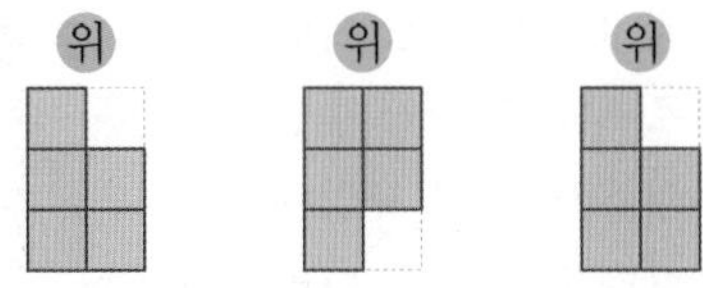

위에서 본 모양은 각각 위의 그림과 같습니다.
따라서 위에서 본 모양이 다른 하나는 ㉡입니다.

14 답 풀이 참조

보는 방향에 따라 보이지 않는 쌓기나무가 있을 수 있으므로 쌓기나무의 개수가 서로 다를 수 있습니다.

11 위에서 본 모양에 쓴 수

p. 51~53

> 따라 푸는 서술형

01 1　**02** 풀이 참조　**03** 8
04 7개　**05** 2　**06** 풀이 참조

> 따라 푸는 문장제 서술형

07 2　**08** 3개　**09** 준하
10 민규

> 스스로 푸는 서술형

11 3개　**12** 풀이 참조　**13** 풀이 참조
14 풀이 참조

02 답 풀이 참조

위에서 본 모양의 각 자리에 쌓인 쌓기나무의 개수를 세어 위에서 본 모양에 수를 씁니다.

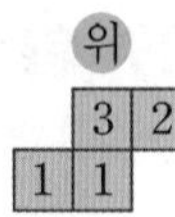

04 답 7개

각 자리에 있는 숫자를 다 더하면 필요한 쌓기나무의 개수를 구할 수 있습니다.
따라서 필요한 쌓기나무는 1+3+2+1=7(개)입니다.

06 답 풀이 참조

옆에서 본 방향에서 각 줄의 가장 높은 층수만큼 그리면 됩니다. 옆에서 본 각 줄의 가장 높은 층은 2, 3, 1이므로 옆에서 본 모양은 오른쪽 그림과 같습니다.

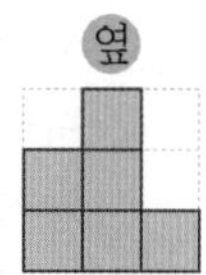

08 답 3개

| 문제 이해 |

앞, 옆에서 본 모양
⇨ 각 방향에서 각 줄의 가장 높은 층수만큼 그린 모양

| 해결 과정 |

앞에서 보았을 때 ㉠이 있는 줄의 가장 높은 층수는 3층이고, 옆에서 보았을 때 ㉠이 있는 줄의 가장 높은 층수는 3층입니다.
따라서 ㉠에 놓인 쌓기나무는 3개입니다.

10 답 민규

| 문제 이해 |

사용한 쌓기나무의 수 ⇨ 각 자리에 있는 숫자의 합

| 해결 과정 |

승민이가 사용한 쌓기나무는
3+1+2+2+1=9(개),
민규가 사용한 쌓기나무는
3+4+1+2=10(개)입니다.
따라서 쌓기나무를 더 많이 사용하여 모양을 만든 학생은 민규입니다.

11 답 3개

①번 자리에 쌓인 쌓기나무는 2개입니다.
④번 자리에 쌓인 쌓기나무는 1개입니다.
따라서 두 자리에 쌓인 쌓기나무의 수의 합은 2+1=3(개)입니다.

12 답 풀이 참조

빈칸에 들어갈 수는
10−1−2−1−2=4입니다.
앞에서 본 각 줄의 가장 높은 층은 2, 2, 4이므로 앞에서 본 모양은 오른쪽 그림과 같습니다.

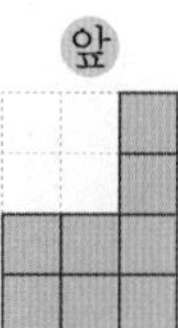

13 답 풀이 참조

위에서 본 모양에 의해 1층에 쌓인 쌓기나무는 6개입니다. 쌓기나무 8개를 사용하므로 2층 이상에 쌓인 쌓기나무는 2개입니다. 1층에 6개의 쌓기나무를 위에서 본 모양과 같이 놓고 나머지 2개의 위치를 이동하면서 위, 앞, 옆에서 본 모양이 서로 같은 두 모양을 만들어 보면 다음과 같습니다.

예

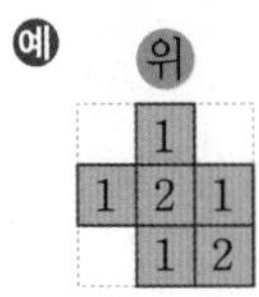

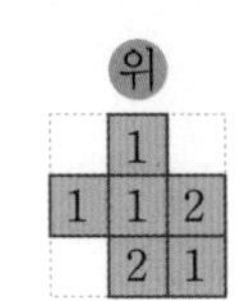

14 답 풀이 참조

㉡에 있는 쌓기나무를 ㉠ 위로 올려 완성한 모양을 보고 위에서 본 모양에 수를 써 넣으면 오른쪽 그림과 같습니다.

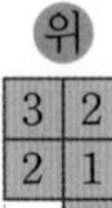

12 층별로 나타낸 모양

p. 55~57

> 따라 푸는 서술형

01 가 **02** 다 **03** 10

04 풀이 참조

> 따라 푸는 문장제 서술형

05 4 **06** 3개 **07** 3

08 풀이 참조

> 스스로 푸는 서술형

09 풀이 참조 **10** 풀이 참조 **11** 12개

12 2층: ㉠, 3층: ㉣

02 답 다

가, **나**, **다** 모두 1층 모양은 같습니다.

2층 모양과 같이 쌓기나무로 쌓은 모양은 **가**와 **다**입니다.

3층 모양과 같이 쌓기나무로 쌓은 모양은 **다**입니다.

따라서 쌓은 모양은 **다**입니다.

04 답 풀이 참조

위에서 본 모양과 1층 모양은 서로 같습니다. 쌓기나무로 쌓은 모양을 층별로 나타낸 모양을 통해 위에서 본 모양에 수를 쓰면 오른쪽 그림과 같습니다. 따라서 필요한 쌓기나무의 개수는

2+1+2+2+2+3=12(개)입니다.

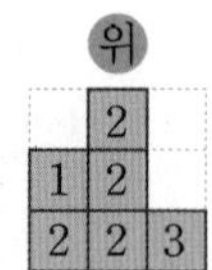

06 답 3개

| 문제 이해 |

3층에 놓인 쌓기나무의 수

⇨ 각 칸에 쓰여진 수가 3 이상인 칸의 수

| 해결 과정 |

3층에 놓인 쌓기나무의 수를 알아보려면 그림에서 3층 이상으로 쌓아 올린 칸의 수를 확인하면 됩니다.

각 칸에 쓰여진 수가 3 이상인 칸은 3칸이므로 3층에 놓인 쌓기나무는 3개입니다.

08 답 풀이 참조

| 문제 이해 |

1층 모양 ⇨ 위에서 본 모양과 같습니다.

앞에서 본 모양 ⇨ 각 줄의 가장 높은 층수만큼 그린 모양

| 해결 과정 |

층별로 나타낸 모양을 보고 위에서 본 모양에 수를 쓰면 오른쪽 그림과 같습니다.

따라서 앞에서 본 각 줄의 가장 높은 층수는 2, 3, 3이므로 바르게 그리면 다음과 같습니다.

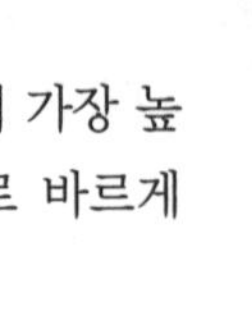

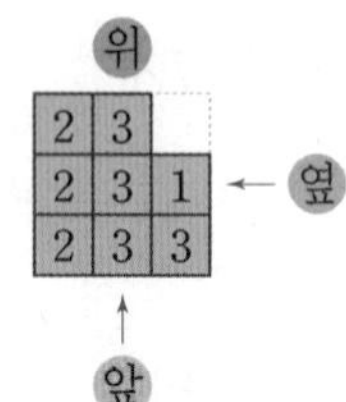

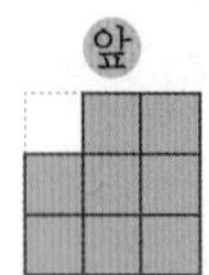

09 답 풀이 참조

1층 모양을 통해 쌓기나무로 쌓은 모양 뒤에 보이지 않는 쌓기나무가 없다는 것을 알 수 있습니다.

2층과 3층 모양은 각각 다음과 같습니다.

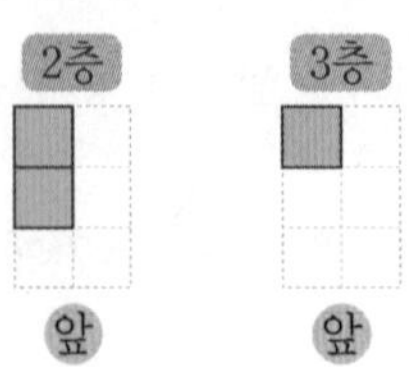

10 답 풀이 참조

2층 모양은 각 칸에 쓰여진 수가 2 이상인 부분을 칠하면 됩니다. 따라서 2층 모양은 다음과 같습니다.

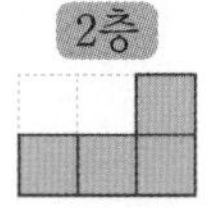

11 답 12개

위에서 본 모양에 수를 쓰면 오른쪽 그림과 같습니다.

따라서 필요한 쌓기나무는 $3+2+1+2+1+1+1+1=12$(개)입니다.

12 답 2층: ㉠, 3층: ㉣

2층으로 가능한 모양은 ㉠, ㉢, ㉣입니다.

2층에 ㉠을 놓으면 3층에 ㉣을 놓을 수 있습니다.

2층에 ㉢을 놓으면 3층에 놓을 수 있는 모양이 없습니다. 또한 2층에 ㉣을 놓아도 3층에 놓을 수 있는 모양이 없습니다.

따라서 2층에 알맞은 모양은 ㉠이고 3층에 알맞은 모양은 ㉣입니다.

p. 58

단계별로, 문제해결 능력을 키우자!

주어진 모양과 똑같은 모양으로 쌓는 데 필요한 쌓기나무는 $3+2+1+3+1+1+2=13$(개)입니다.

사각기둥 모양으로 쌓기나무를 쌓으려면 가로에 3줄, 세로에 3줄, 높이가 3층이 되게 쌓아야 합니다.

사각기둥으로 쌓는 데 필요한 쌓기나무는 모두 $3\times3\times3=27$(개)입니다.

따라서 더 필요한 쌓기나무는 $27-13=14$(개)입니다.

답 14개

4 ::: 비례식과 비례배분

13 비의 성질

p. 61~63

> 따라 푸는 서술형

01 16, 27 **02** 예 12 : 18, 8 : 12, 6 : 9
03 7, 1 **04** 5 : 6 **05** ㉠
06 ㉡

> 따라 푸는 문장제 서술형

07 42 **08** 30 cm **09** 5, 6
10 21 : 25 **11** 23, 27 **12** 8 : 7

> 스스로 푸는 서술형

13 0.25 **14** 23 **15** 3개
16 3

02 답 예 12 : 18, 8 : 12, 6 : 9

비의 각 항을 0이 아닌 같은 수로 나누어도 비율은 같습니다.

전항과 후항을 2로 나누면 12 : 18,

전항과 후항을 3으로 나누면 8 : 12,

전항과 후항을 4로 나누면 6 : 9

이므로 비율이 같은 비 3개는 12 : 18, 8 : 12, 6 : 9 입니다.

04 답 5 : 6

$\frac{2}{3} : \frac{4}{5}$의 전항과 후항에 3과 5의 최소공배수인 15를 곱하면 10 : 12이고 10 : 12의 전항과 후항을 10과 12의 최대공약수인 2로 나누면 가장 간단한 자연수의 비로 나타낼 수 있습니다.

따라서 가장 간단한 자연수의 비로 나타내면 5 : 6입니다.

06 답 ㉡

㉠ 10과 5의 최소공배수인 10을 전항과 후항에 곱하면 13 : 34

㉡ 30과 26의 최대공약수인 2로 전항과 후항을 나누면 15 : 13

따라서 후항이 13인 것의 기호는 ㉡입니다.

08 답 30 cm

| 문제 이해 |

비의 성질 ⇨ 비의 각 항에 0이 아닌 같은 수를 곱하여도 비율은 같다.

| 해결 과정 |

가로와 세로의 비인 1 : 7의 후항에 30을 곱하면 210이므로 전항에도 30을 곱하여야 합니다.
따라서 문의 가로는 $1\times30=30$(cm)입니다.

10 답 21 : 25

| 문제 이해 |

분수로 표현된 비를 가장 간단한 자연수의 비로 나타내기 ⇨ 분모의 최소공배수를 각 항에 곱한다.

| 해결 과정 |

소정이와 지수가 각각 1시간 동안 한 일의 양의 비는 $\frac{3}{5}:\frac{5}{7}$이고 5와 7의 최소공배수인 35를 전항과 후항에 곱하면 21 : 25입니다.

12 답 8 : 7

| 문제 이해 |

자연수로 표현된 비를 가장 간단한 자연수의 비로 나타내기 ⇨ 전항과 후항의 최대공약수로 나눈다.

| 해결 과정 |

(안경을 쓰지 않은 학생 수)
=(전체 학생 수)−(안경을 쓴 학생 수)
이므로 안경을 쓰지 않은 학생은 $300-160=140$(명)입니다. 안경을 쓴 학생 수와 안경을 쓰지 않은 학생 수의 비는 160 : 140이고 전항과 후항의 최대공약수인 20으로 각 항을 나누면 8 : 7입니다.

13 답 0.25

전항은 각각 13, 4, 9, 2입니다.
전항이 가장 작은 비는 2 : 8로 비율을 소수로 나타내면 0.25입니다.

14 답 23

전항 0.8을 분수로 나타내면 $\frac{4}{5}$입니다.

$\frac{4}{5}:\frac{2}{9}$의 전항과 후항에 5와 9의 최소공배수인 45를 곱하면 36 : 10
36과 10의 최대공약수인 2로 각 항을 나누면 가장 간단한 자연수의 비인 18 : 5가 됩니다.
따라서 ■=18, ▲=5이므로 ■+▲=18+5=23입니다.

15 답 3개

비의 각 항에 0이 아닌 같은 수를 곱하여도 비율은 같습니다.
전항과 후항에 2를 곱하면 4 : 10
전항과 후항에 3을 곱하면 6 : 15
전항과 후항에 4를 곱하면 8 : 20
전항과 후항에 5를 곱하면 10 : 25
따라서 후항이 25보다 작은 비는 4 : 10, 6 : 15, 8 : 20으로 모두 3개입니다.

16 답 3

4와 5의 최소공배수인 20을 각 항에 곱하면
$\frac{3}{4}\times20=15$, $\frac{\square}{5}\times20=\square\times4$이므로
15 : (□×4)입니다.
따라서 □×4=12, □=3이므로 □ 안에 알맞은 수는 3입니다.

14 비례식

p. 65~67

> 따라 푸는 서술형

01 4, 7, 12, 21
02 16 : 10=8 : 5 또는 8 : 5=16 : 10
03 12 **04** 12 **05** 5, 3, 10, 6
06 8 : 12=10 : 15

> 따라 푸는 문장제 서술형

07 있습니다
08 액자 (가): $\frac{3}{7}$, 액자 (나): $\frac{3}{4}$, 없습니다.
09 준수 **10** 민규

> 스스로 푸는 서술형

11 2 : 7=24 : 84 **12** 풀이 참조
13 맞습니다. **14** 5 : 9=15 : 27

02 답 16 : 10=8 : 5 **또는** 8 : 5=16 : 10

비율이 $\frac{16}{10}$인 비는 16 : 10으로 나타낼 수 있습니다.

비율이 $\frac{8}{5}$인 비는 8 : 5로 나타낼 수 있습니다.

따라서 두 비율을 비례식으로 나타내면
16 : 10=8 : 5 또는 8 : 5=16 : 10으로 나타낼 수 있습니다.

04 답 12

외항은 12와 21이고 전항은 12와 36입니다.
따라서 외항도 되고 전항도 되는 수는 12입니다.

06 답 8 : 12=10 : 15

8 : 12이므로 비율은 $\frac{8}{12}\left(=\frac{2}{3}\right)$

$\frac{1}{4}$: $\frac{1}{3}$은 3 : 4이므로 비율은 $\frac{3}{4}$

0.6 : 1은 6 : 10이므로 비율은 $\frac{6}{10}\left(=\frac{3}{5}\right)$

10 : 15이므로 비율은 $\frac{10}{15}\left(=\frac{2}{3}\right)$

따라서 비례식을 완성하면 8 : 12=10 : 15입니다.

08 답 **액자 (가): $\frac{3}{7}$, 액자 (나): $\frac{3}{4}$, 없습니다.**

| **문제 이해** |

비례식
⇨ 비율이 같은 두 비를 등호를 사용하여 나타낸 식

| **해결 과정** |

액자 (가)의 가로와 세로의 비는 15 : 35이므로 비율은 $\frac{3}{7}$입니다. 액자 (나)의 가로와 세로의 비는 12 : 16이므로 비율은 $\frac{3}{4}$입니다.

따라서 두 비의 비율이 다르므로 비례식으로 나타낼 수 없습니다.

10 답 **빈규**

| **문제 이해** |

후항 ⇨ 기호 : 뒤에 있는 항
외항 ⇨ 비례식에서 바깥쪽에 있는 두 항

| **해결 과정** |

3 : 8과 6 : 16은 비율이 $\frac{3}{8}$으로 같으므로 비례식으로 나타낼 수 있습니다. 비례식 3 : 8=6 : 16에서 후항은 8과 16, 외항은 3과 16이므로 후항도 되고 외항도 되는 수는 16입니다.
따라서 잘못 설명한 친구는 민규입니다.

11 답 2 : 7=24 : 84

비율이 $\frac{2}{7}$인 비는 2 : 7입니다. 2 : 7=●:■라고 하면 7×●=168이므로 ●=24입니다.

비율이 $\frac{2}{7}$이고 전항이 24인 비는 24 : 84이므로 조건에 맞는 비례식은 2 : 7=24 : 84입니다.

12 답 **풀이 참조**

외항에 5와 18을 쓰고, 내항에 6과 15를 써서 비례식으로 나타내면 5 : 6=15 : 18, 5 : 15=6 : 18, 18 : 6=15 : 5, 18 : 15=6 : 5입니다.

13 답 **맞습니다.**

요리책에서 정한 밀가루와 우유의 비는 5 : 2이므로 비율은 $\frac{5}{2}$입니다. 성재가 넣은 밀가루와 우유의 양의 비는 20 : 8이므로 비율은 $\frac{20}{8}\left(=\frac{5}{2}\right)$입니다.

따라서 성재가 넣은 밀가루와 우유의 양은 요리책에서 정한 비에 맞습니다.

14 답 5 : 9=15 : 27

전항이 5와 15인 두 비를 5 : ㉠, 15 : ㉡이라고 하면 비율이 $\frac{5}{9}$이므로 $\frac{5}{㉠}=\frac{5}{9}$가 되어 ㉠=9이고 $\frac{15}{㉡}=\frac{5}{9}$가 되어 ㉡=27입니다.

따라서 두 비를 비례식으로 나타내면 5 : 9=15 : 27입니다.

15 비례식의 성질

p. 69~71

> 따라 푸는 서술형

01 72, 72　**02** 120, 120　**03** 옳습니다
04 풀이 참조　**05** 7　**06** 5

> 따라 푸는 문장제 서술형

07 8400　**08** 25000원　**09** 36
10 28분　**11** 77　**12** 30 cm

> 스스로 푸는 서술형

13 60번　**14** ⓔ 4 : 5=12 : 15
15 20000원　**16** 735 m^2

02 답 120, 120
외항은 6과 20, 내항은 5와 24입니다.
따라서 외항의 곱은 6×20=120이고
내항의 곱은 5×24=120입니다.

04 답 **풀이 참조**
비례식에서 외항의 곱과 내항의 곱은 같습니다.
외항은 9와 8, 내항은 4와 18입니다.
외항의 곱은 9×8=72, 내항의 곱은 4×18=72이므로 비례식은 옳습니다.

06 답 5
비례식에서 외항의 곱과 내항의 곱은 같습니다.
외항은 2와 35, 내항은 ★과 14입니다.
따라서 2×35=★×14, ★×14=70,
★=5입니다.

08 답 25000원
| 문제 이해 |
3송이에 5000원 ⇨ 3 : 5000
| 해결 과정 |
포도 15송이의 가격을 ▲원이라 하고 비례식을 세우면 3 : 5000=15 : ▲입니다.
외항의 곱과 내항의 곱이 같으므로
3×▲=5000×15, 3×▲=75000, ▲=25000
따라서 포도 15송이는 25000원입니다.

10 답 28분
| 문제 이해 |
7분 동안 20 km ⇨ 7 : 20
| 해결 과정 |
80 km를 달리는 데 걸리는 시간을 ▲분이라 하고 비례식을 세우면 7 : 20=▲ : 80입니다.
외항의 곱과 내항의 곱이 같으므로
7×80=20×▲, 20×▲=560, ▲=28
따라서 80 km를 달리는 데 걸리는 시간은 28분입니다.

12 답 30 cm
| 문제 이해 |
비례식 ⇨ 5 : 7=(가로) : 42
| 해결 과정 |
가로를 ▲cm라 하고 비례식을 세우면
5 : 7=▲ : 42입니다.
외항의 곱과 내항의 곱이 같으므로
5×42=7×▲, 7×▲=210, ▲=30
따라서 포스터의 가로는 30 cm입니다.

13 답 60번
10타수마다 안타 3번을 비로 나타내면 10 : 3입니다.
200타수 중 안타를 □번 친다고 하면
10 : 3=200 : □
10×□=3×200, 10×□=600, □=60
따라서 200타수 중에서 안타를 60번 칠 것으로 예상할 수 있습니다.

14 답 ⓔ 4 : 5=12 : 15
두 수의 곱이 같은 수 카드를 찾아서 외항과 내항에 각각 놓아 비례식을 만듭니다.
4×15=60, 5×12=60이므로 비례식을 만들면
4 : 5=12 : 15 또는 4 : 12=5 : 15 또는
15 : 5=12 : 4 또는 15 : 12=5 : 4입니다.

15 답 20000원
용돈의 70 %를 저금한 것을 비로 나타내면 70 : 100입니다. 이번 주 용돈을 □원이라 하고 비례식을 세우면 70 : 100=14000 : □입니다.
70×□=100×14000, 70×□=1400000,
□=20000
따라서 이번 주 용돈은 20000원입니다.

16 답 735 m^2
가로가 21 m일 때, 세로를 □m라고 하면
3 : 5=21 : □입니다.
3×□=5×21, 3×□=105, □=35이므로
세로는 35 m입니다.
따라서 정원의 넓이는 21×35=735(m^2)입니다.

16 비례배분

p. 73~75

> 따라 푸는 서술형

01 $\frac{7}{12}$, $\frac{5}{12}$ 02 $\frac{4}{9}$, $\frac{5}{9}$ 03 15, 9
04 49, 7 05 80 06 108

> 따라 푸는 문장제 서술형

07 9 08 14시간 09 14000
10 10000원 11 56 12 120 cm^2

> 스스로 푸는 서술형

13 풍산이, 6개 14 80장 15 1 : 3
16 할아버지 댁: 40개, 삼촌 댁: 30개

02 답 $\frac{4}{9}$, $\frac{5}{9}$

지민이가 가지게 되는 초콜릿은 전체의 $\frac{4}{4+5}=\frac{4}{9}$

준혁이가 가지게 되는 초콜릿은 전체의 $\frac{5}{4+5}=\frac{5}{9}$

따라서 □ 안에 알맞은 수는 각각 $\frac{4}{9}$, $\frac{5}{9}$입니다.

04 답 49, 7

$56\times\frac{7}{7+1}=56\times\frac{7}{8}=49$

$56\times\frac{1}{7+1}=56\times\frac{1}{8}=7$

따라서 56을 7 : 1로 비례배분하면 49, 7입니다.

06 답 108

㉠은 $24\times\frac{3}{3+1}=24\times\frac{3}{4}=18$입니다.

㉡은 $24\times\frac{1}{3+1}=24\times\frac{1}{4}=6$입니다.

따라서 ㉠×㉡$=18\times6=108$입니다.

08 답 14시간

| 문제 이해 |

하루 ⇨ 24시간

| 해결 과정 |

하루는 24시간입니다.

따라서 밤은 $24\times\frac{7}{5+7}=24\times\frac{7}{12}=14$(시간) 입니다.

10 답 10000원

| 문제 이해 |

8 : 5로 나누어 갖는다 ⇨ 8 : 5로 비례배분

| 해결 과정 |

26000원을 8 : 5로 비례배분하면
민수가 가지게 되는 용돈은

$26000\times\frac{5}{8+5}=26000\times\frac{5}{13}=10000$(원)입니다.

12 답 120 cm^2

| 문제 이해 |

직사각형의 가로와 세로 ⇨ 6 : 5로 비례배분

| 해결 과정 |

22를 6 : 5로 비례배분하면

가로는 $22\times\frac{6}{6+5}=22\times\frac{6}{11}=12$(cm)이고

세로는 $22\times\frac{5}{6+5}=22\times\frac{5}{11}=10$(cm)입니다.

따라서 직사각형의 넓이는 $12\times10=120(cm^2)$입니다.

13 답 풍산이, 6개

42개를 4 : 3으로 비례배분하면

풍산이는 $42\times\frac{4}{4+3}=42\times\frac{4}{7}=24$(개),

지학이는 $42\times\frac{3}{4+3}=42\times\frac{3}{7}=18$(개)의 사탕을 가졌습니다.

따라서 풍산이가 지학이보다 사탕을 $24-18=6$(개) 더 많이 가졌습니다.

14 답 80장

나누기 전의 색종이의 수를 □장이라고 하면

$□\times\frac{3}{8}=30$, $□=30\div\frac{3}{8}=30\times\frac{8}{3}=80$

따라서 나누기 전의 색종이는 모두 80장입니다.

15 답 1 : 3

정원이가 가진 귤은 전체의 $\frac{15}{60}=\frac{1}{4}$이고,

혜원이가 가진 귤은 전체의 $\frac{45}{60}=\frac{3}{4}$입니다.

따라서 정원이와 혜원이가 나누어 가진 비를 가장 간단한 자연수의 비로 나타내면 $\frac{1}{4}:\frac{3}{4}=1:3$입니다.

16 답 **할아버지 댁: 40개, 삼촌 댁: 30개**

0.4 : 0.3을 가장 간단한 자연수의 비로 나타내면 4 : 3입니다.

70개를 4 : 3으로 비례배분하면

할아버지 댁에는 $70\times\frac{4}{4+3}=70\times\frac{4}{7}=40$(개),

삼촌 댁에는 $70\times\frac{3}{4+3}=70\times\frac{3}{7}=30$(개)

따라서 옥수수를 할아버지 댁에는 40개, 삼촌 댁에는 30개 드리면 됩니다.

p. 76

단계별로, 문제해결 능력을 키우자!

㉮ 톱니 수는 36개이고 ㉯ 톱니 수는 12개이므로 (㉮ 톱니 수) : (㉯ 톱니 수)=36 : 12=3 : 1입니다.
(㉮ 톱니 수) : (㉯ 톱니 수)=3 : 1이므로 ㉮ 톱니바퀴가 1바퀴 회전할 때 ㉯ 톱니바퀴는 3바퀴 회전합니다.
따라서 회전수의 비가 1 : 3이므로 ㉮ 톱니바퀴가 5바퀴 회전할 때 ㉯ 톱니바퀴는 3×5=15(바퀴) 회전합니다.

답 15바퀴

5 ::: 원의 넓이

17 원주와 원주율

p. 79~81

> 따라 푸는 서술형

01 6.2	**02** 25.12 cm	**03** =
04 =	**05** 6	**06** 8 cm

> 따라 푸는 문장제 서술형

07 27	**08** 43.2 cm	**09** 12
10 15 cm	**11** 188.4	**12** 235.5 m

> 스스로 푸는 서술형

13 ㉡, ㉠, ㉢	**14** 지성	**15** 나리
16 36 cm		

02 답 25.12 cm

(원주)=(지름)×(원주율)이므로

(원주)=8×3.14=25.12(cm)입니다.

04 답 =

34.54÷11=3.14

53.38÷17=3.14

따라서 ○ 안에 알맞은 것은 =입니다.

06 답 8 cm

(지름)=(원주)÷(원주율)이므로

(지름)=24.8÷3.1=8(cm)

따라서 원의 지름은 8 cm입니다.

08 답 43.2 cm

| 문제 이해 |

반지름 ⇨ (지름)×$\frac{1}{2}$

원주 ⇨ (지름)×(원주율)

| 해결 과정 |

반지름이 7.2 cm인 원의 지름은 14.4 cm입니다.

따라서 벽시계의 원주는 14.4×3=43.2(cm)입니다.

10 답 15 cm

| 문제 이해 |

지름 ⇨ (원주)÷(원주율)

| 해결 과정 |

리본으로 만든 원의 원주는 46.5 cm이므로
이 원의 지름은 46.5÷3.1=15(cm)입니다.

12 답 235.5 m

| 문제 이해 |

학교에서 도서관까지의 거리
⇨ (바퀴 자의 원주)×150

| 해결 과정 |

지름이 50 cm인 바퀴 자가 한 바퀴 돈 거리는
50×3.14=157(cm)이므로 바퀴 자가 150바퀴 돈 거리는 157×150=23550(cm)입니다.
따라서 학교에서 도서관까지의 거리는 235.5 m입니다.

13 답 ㉡, ㉠, ㉢

㉠ 반지름이 4 cm이므로 지름은 8 cm이고
원주는 8×3.1=24.8(cm)입니다.

㉡ 지름이 9 cm이므로 원주는 9×3.1=27.9(cm)
입니다.

따라서 큰 접시부터 차례대로 기호를 쓰면 ㉡, ㉠, ㉢
입니다.

14 답 지성

원주율은 항상 일정하기 때문에 원의 지름이 커져도 원주율은 변하지 않습니다.
원주는 원의 둘레이므로 지름과 같지 않습니다.
또한 지름은 (원주)÷(원주율)로 구할 수 있습니다.
따라서 잘못 설명한 친구는 지성입니다.

15 답 나리

나리의 훌라후프의 원주는
90×3.14=282.6(cm)입니다.
따라서 나리의 훌라후프가 더 큽니다.

16 답 36 cm

(색칠한 부분의 둘레)
=(반지름이 6 cm인 원의 원주)÷2
+(지름이 6 cm인 원의 원주)
반지름이 6 cm인 원의 지름은 12 cm이므로
(반지름이 6 cm인 원의 원주)=6×2×3=36(cm)
(지름이 6 cm인 원의 원주)=6×3=18(cm)
따라서 색칠한 부분의 둘레는
36÷2+18=18+18=36(cm)입니다.

18 원의 넓이

p. 83~85

> 따라 푸는 서술형

01 28.26 **02** 111.6 cm^2
03 4 **04** 7
05 379.94 **06** 276.48 cm^2

> 따라 푸는 문장제 서술형

07 77.5 **08** 151.9 m^2
09 2826 **10** 1240 cm^2
11 111.6 **12** 254.34 cm^2

> 스스로 푸는 서술형

13 ㉣, ㉠, ㉡, ㉢
14 원 모양 쿠키, 39.44 cm^2
15 217 cm^2 **16** 900 cm^2

02 답 111.6 cm^2

(원의 넓이)=(반지름)×(반지름)×(원주율)이므로
(원의 넓이)=6×6×3.1=111.6(cm^2)입니다.

04 답 7

(원의 넓이)=(반지름)×(반지름)×(원주율)이므로
원의 반지름을 □cm라고 하면
153.86=□×□×3.14입니다.
□×□=153.86÷3.14=49이므로 □=7
따라서 반지름은 7 cm입니다.

06 답 276.48 cm^2

(지름)=(원주)÷(원주율)이므로
(반지름)=(원주)÷(원주율)÷2이고
(반지름)=57.6÷3÷2=9.6(cm)입니다.
(원의 넓이)=(반지름)×(반지름)×(원주율)이므로
(원의 넓이)=9.6×9.6×3=276.48(cm^2)입니다.

08 답 151.9 m^2

| 문제 이해 |

원의 넓이 ⇨ (반지름)×(반지름)×(원주율)

| 해결 과정 |

지름이 14 m인 분수대의 반지름은 7 m이므로
분수대의 넓이는 7×7×3.1=151.9(m^2)입니다.

10 답 $1240\ cm^2$

| 문제 이해 |

생크림 케이크의 반지름 ⇨ $16\times\frac{1}{2}$

초코 케이크의 반지름

⇨ (생크림 케이크의 반지름)$\times 2.5$

| 해결 과정 |

초코 케이크의 반지름은 생크림 케이크의 반지름의 2.5배이므로 초코 케이크의 반지름은

$16\times\frac{1}{2}\times 2.5=20$(cm)입니다.

따라서 초코 케이크의 넓이는

$20\times 20\times 3.1=1240(cm^2)$입니다.

12 답 $254.34\ cm^2$

| 문제 이해 |

그릴 수 있는 가장 큰 원의 지름

⇨ 정사각형 종이의 한 변의 길이

| 해결 과정 |

정사각형의 한 변의 길이가 18 cm일 때 그릴 수 있는 가장 큰 원의 지름은 18 cm입니다.

지름이 18 cm인 원의 반지름은 9 cm이므로

원의 넓이는 $9\times 9\times 3.14=254.34(cm^2)$입니다.

13 답 ㉣, ㉠, ㉡, ㉢

㉠ 원의 넓이는 $14\times 14\times 3=588(cm^2)$입니다.

㉢ 원의 반지름은 12 cm이므로

원의 넓이는 $12\times 12\times 3=432(cm^2)$입니다.

㉣ 원의 반지름은 $102\div 3\div 2=17$(cm)이므로

원의 넓이는 $17\times 17\times 3=867(cm^2)$입니다.

따라서 넓이가 큰 원부터 차례대로 기호를 쓰면

㉣, ㉠, ㉡, ㉢입니다.

14 답 **원 모양 쿠키**, $39.44\ cm^2$

정사각형 모양 쿠키의 넓이는 $24\times 24=576(cm^2)$입니다. 원 모양 쿠키의 반지름은 14 cm이므로 넓이는

$14\times 14\times 3.14=615.44(cm^2)$입니다.

따라서 원 모양 쿠키의 넓이가

$615.44-576=39.44(cm^2)$만큼 더 큽니다.

15 답 $217\ cm^2$

(가장 큰 원의 반지름)$=(14+10)\div 2=12$(cm)입니다.

따라서 색칠한 부분의 넓이는

(가장 큰 원의 넓이)$-$(반지름이 7 cm인 원의 넓이)

$-$(반지름이 5 cm인 원의 넓이)

$=12\times 12\times 3.1-7\times 7\times 3.1-5\times 5\times 3.1$

$=446.4-151.9-77.5=217(cm^2)$

입니다.

16 답 $900\ cm^2$

3점 이하를 받을 수 있는 부분의 넓이는 3점과 1점을 받을 수 있는 부분의 넓이의 합이므로 가장 큰 원의 넓이에서 세 번째로 큰 원의 넓이를 뺀 것과 같습니다.

(가장 큰 원의 반지름)$=20$ cm

(두 번째로 큰 원의 반지름)$=20-5=15$(cm)

(세 번째로 큰 원의 반지름)$=15-5=10$(cm)

따라서 3점 이하를 받을 수 있는 부분의 넓이는

(가장 큰 원의 넓이)$-$(세 번째로 큰 원의 넓이)

$=20\times 20\times 3-10\times 10\times 3$

$=1200-300=900(cm^2)$

입니다.

p. 86

단계별로, 문제해결 능력을 키우자!

6 m 20 cm$=$620 cm입니다.

굴렁쇠가 한 바퀴 굴러간 거리는 굴렁쇠의 원주와 같으므로 $25\times 2\times 3.1=155$(cm)입니다.

따라서 굴렁쇠가 굴러간 바퀴 수는

$620\div 155=4$(바퀴)입니다.

답 **4바퀴**

6 ::: 원기둥, 원뿔, 구

19 원기둥

p. 89~91

> 따라 푸는 서술형

01 ㉠, ㉢ **02** ㉠, ㉢ **03** 5

04 7 cm **05** ㄴㄷ

06 선분 ㄱㄴ, 선분 ㄹㄷ

> 따라 푸는 문장제 서술형

07 합동 **08** 풀이 참조 **09** 18.6

10 12.56

> 스스로 푸는 서술형

11 우리 **12** 47.68 cm **13** 7 cm

14 6 cm

02 답 ㉠, ㉢

원기둥은 위와 아래에 있는 면이 서로 평행하고 합동인 원으로 이루어진 입체도형입니다.
따라서 원기둥이 아닌 것은 ㉠, ㉢입니다.

04 답 7 cm

직사각형 모양의 종이를 한 변을 기준으로 돌려 만들어진 입체도형은 원기둥입니다. 원기둥의 높이는 직사각형의 가로의 길이와 같습니다.
따라서 원기둥의 높이는 7 cm입니다.

06 답 선분 ㄱㄴ, 선분 ㄹㄷ

전개도에서 옆면의 세로의 길이는 원기둥의 높이와 같습니다.
따라서 원기둥의 높이와 같은 길이의 선분은 선분 ㄱㄴ과 선분 ㄹㄷ입니다.

08 답 풀이 참조

| 문제 이해 |

원기둥의 전개도에서 옆면의 모양 ⇨ 직사각형

| 해결 과정 |

원기둥의 전개도에서 옆면의 모양은 직사각형입니다.
주어진 전개도는 옆면의 모양이 직사각형이 아니므로 원기둥을 만들 수 없습니다.

10 답 12.56

| 문제 이해 |

옆면의 가로의 길이 ⇨ 밑면의 둘레

| 해결 과정 |

(옆면의 가로)=(밑면의 지름)×(원주율)이므로
(옆면의 가로)$=2\times2\times3.14=12.56$(cm)입니다.
따라서 □ 안에 알맞은 수는 12.56입니다.

11 답 우리

원기둥의 전개도에서 옆면의 가로의 길이는 밑면의 둘레와 같고, 옆면의 세로의 길이는 원기둥의 높이와 같습니다.
따라서 잘못 설명한 친구는 우리입니다.

12 답 47.68 cm

옆면의 가로의 길이는 밑면의 둘레와 같습니다.
(옆면의 가로)$=12\times3.14=37.68$(cm)
따라서 옆면의 가로와 세로의 길이의 합은
$37.68+10=47.68$(cm)입니다.

13 답 7 cm

옆면의 가로의 길이는 밑면의 둘레와 같습니다.
(옆면의 가로)=(밑면의 지름)×(원주율)이므로
$43.96=$(밑면의 지름)$\times3.14$입니다.
따라서 깡통의 밑면의 반지름은
$43.96\div3.14\div2=7$(cm)입니다.

14 답 6 cm

옆면의 넓이는 (옆면의 가로)×(옆면의 세로)입니다.
옆면의 가로의 길이는 밑면의 둘레와 같으므로
$6\times3.1=18.6$(cm)입니다.
옆면의 세로의 길이를 □cm라고 하면
$18.6\times\square=111.6$, $\square=111.6\div18.6=6$입니다.
따라서 원기둥의 높이는 옆면의 세로의 길이와 같으므로 6 cm입니다.

20 원뿔과 구

p. 93~95

> 따라 푸는 서술형

01 ㉡, ㉢ **02** ㉠, ㉢ **03** 4
04 12 cm **05** 8 **06** 10 cm

> 따라 푸는 문장제 서술형

07 고깔모자 **08** 과자상자 **09** 원
10 풀이 참조

> 스스로 푸는 서술형

11 ㉡, ㉠, ㉢ **12** 3 cm **13** 4 cm
14 18 cm

02 답 ㉠, ㉢

공 모양의 입체도형을 구라고 합니다.
따라서 구는 ㉠, ㉢입니다.

04 답 12 cm

직각삼각형 모양의 종이를 한 변을 기준으로 돌리면 원뿔이 만들어집니다. 이때 원뿔의 밑면의 지름은 직각삼각형의 밑변의 길이의 2배와 같습니다.
따라서 원뿔의 밑면의 지름은 12 cm입니다.

06 답 10 cm

구의 반지름은 구의 중심에서 구의 겉면의 한 점을 이은 선분이므로 5 cm입니다.
따라서 구의 지름은 10 cm입니다.

08 답 과자상자

| 문제 이해 |

원기둥의 높이 ⇨ 두 밑면에 수직인 선분의 길이
원뿔의 높이 ⇨ 꼭짓점에서 밑면에 수직인 선분의 길이

| 해결 과정 |

과자상자의 높이는 15 cm이고 아이스크림 콘의 높이는 12 cm입니다.
따라서 과자상자의 높이가 더 높습니다.

10 답 풀이 참조

| 문제 이해 |

두 입체도형 ⇨ 원기둥, 원뿔

| 해결 과정 |

예 두 입체도형은 원기둥과 원뿔입니다. 두 입체도형의 같은 점은 밑면의 모양이 원이라는 점입니다. 두 입체도형의 다른 점은 원기둥은 밑면이 2개이지만 원뿔은 밑면이 1개라는 것입니다.

11 답 ㉡, ㉠, ㉢

㉠ 원뿔은 밑면이 1개입니다.
㉡ 원기둥은 밑면이 2개입니다.
㉢ 구는 밑면이 없습니다.
따라서 수가 큰 것부터 차례대로 기호를 쓰면 ㉡, ㉠, ㉢입니다.

12 답 3 cm

원뿔에서 모선의 길이는 15 cm이고 높이는 12 cm입니다.
따라서 모선의 길이와 높이의 차는
$15-12=3$(cm)입니다.

13 답 4 cm

구의 지름은 반원의 지름과 같으므로 8 cm입니다.
따라서 구의 반지름은 $8\div2=4$(cm)입니다.

14 답 18 cm

구의 중심에서 구의 겉면의 한 점을 이은 선분을 반지름이라고 합니다. 즉, 구의 반지름은 9 cm입니다.
구의 지름은 한 바퀴 돌린 반원의 지름과 같습니다.
따라서 반원의 지름은 18 cm입니다.

p. 96

단계별로, 문제해결 능력을 키우자!

페인트가 칠해진 부분의 넓이는 원기둥의 옆면의 넓이와 같습니다.
(롤러의 한 밑면의 둘레)$\times20=628$이므로
(롤러의 한 밑면의 둘레)$=628\div20=31.4$(cm)입니다.
롤러의 한 밑면의 지름을 □cm라고 하면
$□\times3.14=31.4$이므로 $□=31.4\div3.14=10$입니다.
따라서 롤러의 한 밑면의 지름은 10 cm입니다.

답 10 cm

풍산자
개념 × 서술형
초등 수학 6-2

풍산자 라인업

중학 풍산자로 개념과 문제를 꼼꼼히 풀면 성적이 지속적으로 향상됩니다

상위권으로의 도약을 위한 중학 풍산자 로드맵

중학 풍산자 교재	하	중하	중	상
원리 개념서 **풍산자 개념완성** (강남구청 인터넷수능방송 강의교재)		필수 문제로 개념 정복, 개념 학습 완성		
기초 반복훈련서 **풍산자 반복수학**		개념 및 기본 연산 정복, 기초 실력 완성		
실전평가 테스트 **풍산자 테스트북**			단원별 엄선 문제, 실력 점검 및 실전 대비	
실전 문제유형서 **풍산자 필수유형** (강남구청 인터넷수능방송 강의교재)			모든 기출 유형 정복, 시험 준비 완료	

어휘력 쑥쑥 자람판

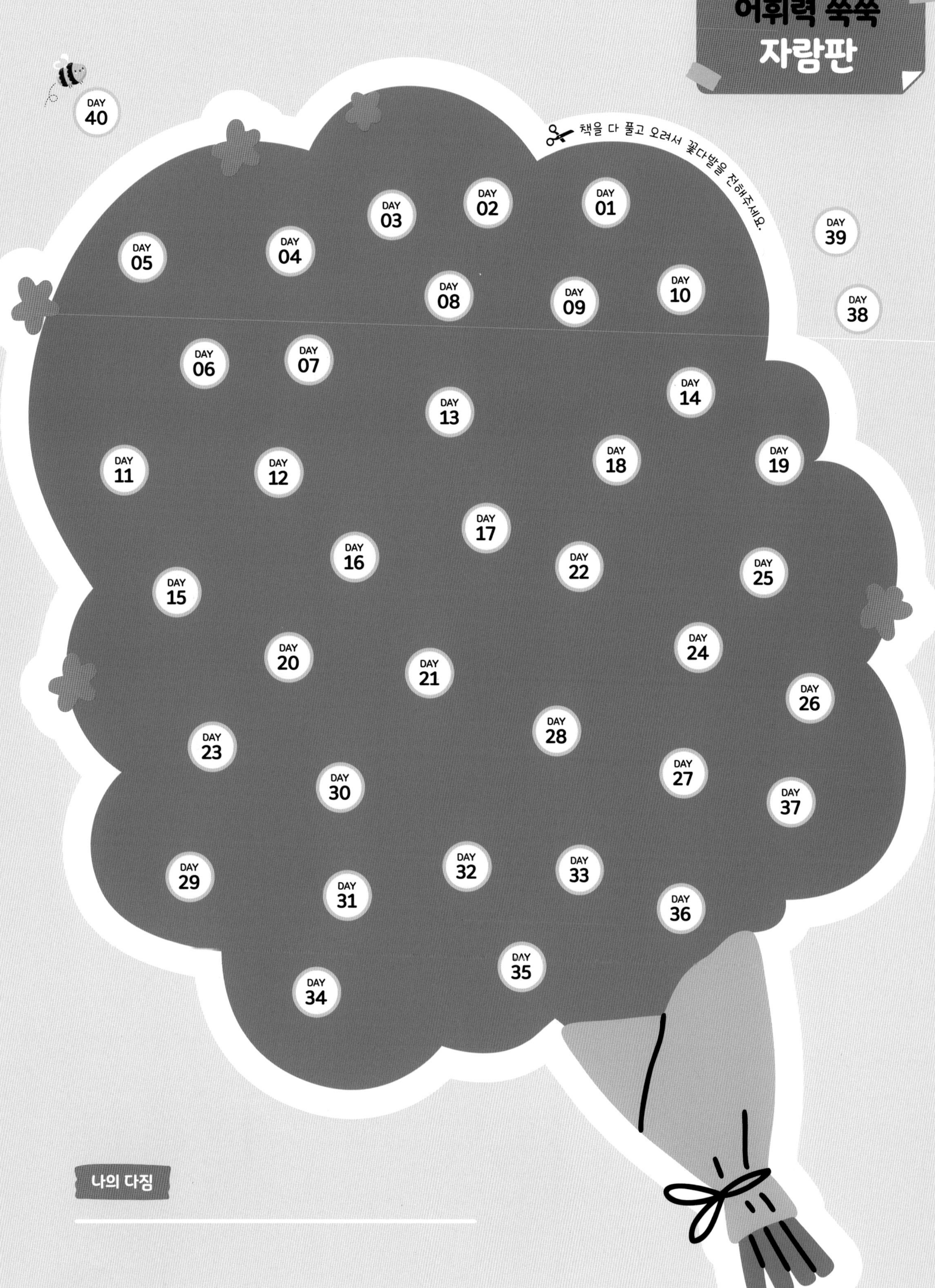

나의 다짐

어휘력 자신감

정답과 해설

지학사

어휘력 자신감

초등 국어

1단계

정답과 해설

1주차

Day 01

본문 9쪽

| 내용 이해하기 |

1 ②

2 하준

3 제 말

| 어휘 익히기 |

4 (1) 괘씸하다 (2) 건방지다 (3) 달래다

5 (1) 어슬렁거렸어요 (2) 무시무시했어요

6 호랑이

| 맞춤법 · 받아쓰기 |

7 ④

8 (1) 잡아먹었어요 (2) 괘씸했어요

9 (1) 나무 뒤에 몸을 숨겼어요.
(2) 울음을 뚝 그쳤어요.
(3) 재빨리 도망쳤어요.

| 내용 이해하기 |

1 어머니가 아이에게 곶감을 주겠다고 말하자 아이가 울음을 뚝 그쳤습니다.

2 호랑이는 "곶감이란 놈이 나보다 더 무시무시한 모양이군."이라고 말하고 겁이 나서 도망쳤습니다.

3 다른 사람에 관해 이야기를 하는데 그 사람이 나타날 때 '호랑이도 제 말 하면 온다'라는 속담을 쓸 수 있습니다.

| 어휘 익히기 |

5 (1) '어슬렁거리다'는 '동물이 몸을 조금 흔들며 천천히 걸어다니다.'라는 뜻입니다. '그치다'는 '계속하지 않고 멈추다.'라는 뜻입니다.
(2) '무시무시하다'는 '무섭고 끔찍하다.'라는 뜻입니다. '건방지다'는 '지나치게 잘난 척하다.'라는 뜻입니다.

6 다른 사람에 관해 이야기를 하는데 그 사람이 나타날 때 '호랑이도 제 말 하면 온다'라는 속담을 쓸 수 있습니다.

| 맞춤법 · 받아쓰기 |

7 '계속'이 바른 표현입니다.

8 (1) [자바머거써요]로 소리 나지만 낱말의 원래 모양은 '잡아먹다'입니다. 따라서 '잡아먹었어요'가 바른 표현입니다.
(2) 낱말의 원래 모양은 '괘씸하다'이고 '괘씸했어요'가 바른 표현입니다.

Day 02

본문 13쪽

| 내용 이해하기 |

1 ②

2 ①

3 식은 죽 먹기

| 어휘 익히기 |

4 (1) 한꺼번에 (2) 덩실덩실

5 (1) 갈랐어요 (2) 후회했어요

6 죽

| 맞춤법 · 받아쓰기 |

7 (1) 얻다 (2) 낳았어요

8 (1) 빛나요 (2) 쌓여

9 (1) 많이 낳으면 더 좋을 텐데
(2) 더 빨리 벌 수 있어요.
(3) 땅을 치며 후회했어요.

| 내용 이해하기 |

1 "거위가 황금 알을 하루에 한 알만 낳으니 답답해요."라는 할머니의 말에서 알 수 있습니다.

2 할아버지와 할머니는 황금 알을 낳는 거위의 배를 갈라 황금 알을 한꺼번에 많이 얻으려고 했지만, 거위만 죽고 황금 알을 얻지 못했습니다.

3 할아버지와 할머니는 거위가 낳은 황금 알을 시장에 내다 팔면 쉽게 부자가 될 수 있을 것이라고 생각했습니다. '아주 쉽게 할 수 있는 일.'이라는 뜻의 관용어는 '식은 죽 먹기'입니다.

| 어휘 익히기 |

6 형은 의자 위에 올라가서 높은 곳에 있는 과자를 쉽게 꺼냈습니다. 과자를 꺼내 주는 것이 쉬운 일이라는 뜻의 관용어는 '식은 죽 먹기'이므로 빈칸에는 '죽'이 들어가는 것이 알맞습니다.

| 맞춤법 · 받아쓰기 |

7 (1) [어따]로 소리 나지만 '얻다'가 바른 표현입니다.
(2) '새끼를 몸 밖으로 내보내다.'의 뜻이 되어야 하므로

'낳았어요'가 바른 표현입니다. '나았어요'의 원래 모양은 '낫다'로 '병이나 상처 등이 없어져 본래대로 되다.'라는 뜻입니다.

8 (1) [빈나요]로 소리 나지만 낱말의 원래 모양은 '빛나다'입니다. 따라서 '빛나요'가 바른 표현입니다.
(2) 낱말의 원래 모양은 '쌓이다'이고 '쌓이–'에 '–어'가 붙어서 줄어든 '쌓여'가 바른 표현입니다.

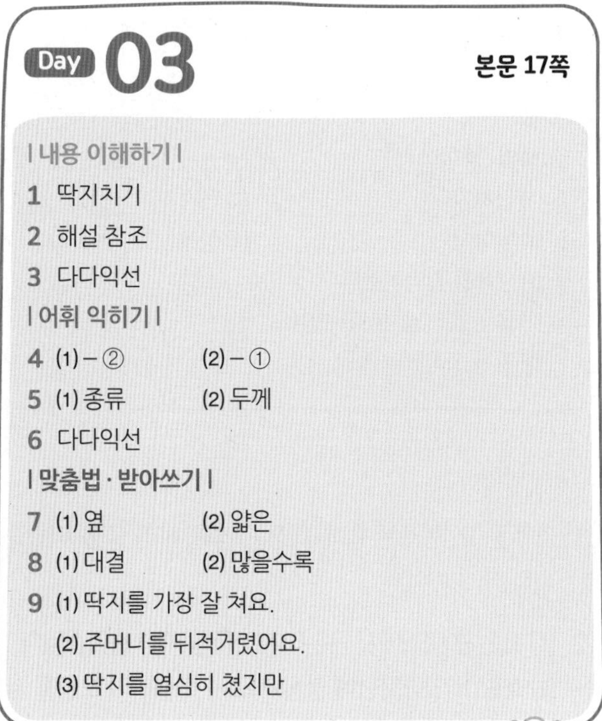

Day 03 본문 17쪽

| 내용 이해하기 |
1 딱지치기
2 해설 참조
3 다다익선
| 어휘 익히기 |
4 (1) – ② (2) – ①
5 (1) 종류 (2) 두께
6 다다익선
| 맞춤법 · 받아쓰기 |
7 (1) 옆 (2) 얇은
8 (1) 대결 (2) 많을수록
9 (1) 딱지를 가장 잘 쳐요.
(2) 주머니를 뒤적거렸어요.
(3) 딱지를 열심히 쳤지만

| 내용 이해하기 |

1 오늘은 형진이와 용식이가 딱지치기 대결을 하는 날입니다.

2 용식이의 딱지치기 비결은 어떤 딱지든지 뒤집을 수 있는 여러 종류의 딱지였습니다.

3 형진이는 용식이의 딱지치기 비결을 알아내고, 딱지치기할 때 딱지는 '다다익선'이라고 했습니다.

| 어휘 익히기 |

6 상과 색연필 색깔은 많을수록 좋으므로 '다다익선'과 관계가 있습니다.

| 맞춤법 · 받아쓰기 |

7 (1) 우리 반을 기준으로 하여 왼쪽이나 오른쪽 반 친구들을 의미하므로 '옆'이 바른 표현입니다.
(2) [얄븐]으로 소리 나지만 '얇은'이 바른 표현입니다.

8 (1) '대결'이 바른 표현입니다.
(2) '많다'와 '–ㄹ수록'이 합쳐진 '많을수록'이 바른 표현입니다.

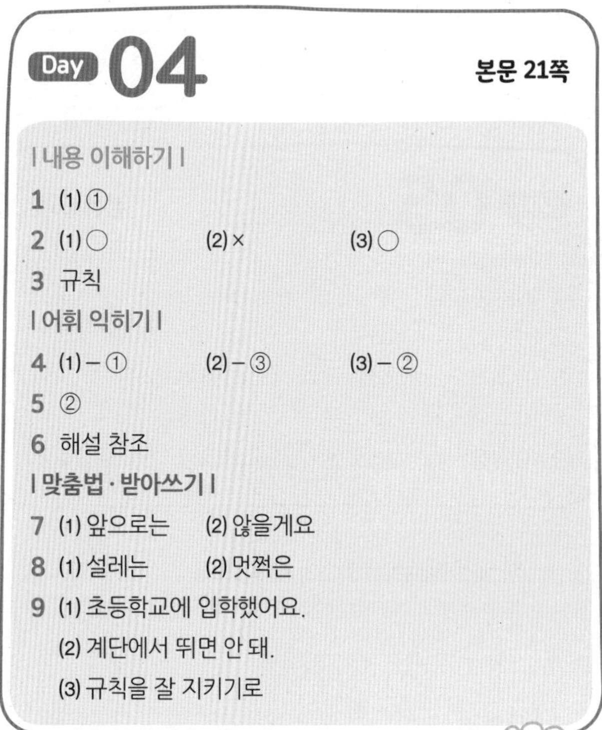

Day 04 본문 21쪽

| 내용 이해하기 |
1 (1) ①
2 (1) ○ (2) × (3) ○
3 규칙
| 어휘 익히기 |
4 (1) – ① (2) – ③ (3) – ②
5 ②
6 해설 참조
| 맞춤법 · 받아쓰기 |
7 (1) 앞으로는 (2) 않을게요
8 (1) 설레는 (2) 멋쩍은
9 (1) 초등학교에 입학했어요.
(2) 계단에서 뛰면 안 돼.
(3) 규칙을 잘 지키기로

| 내용 이해하기 |

1 은진이는 친구들과 공부하는 첫날이라 설레는 마음으로 학교에 갔습니다.

2 오빠는 학교 복도와 계단에서 뛰지 않고 오른쪽으로 걸어야 한다고 했고, 화장실에서는 줄을 서야 한다고 말했습니다.

3 친구들과 즐겁게 학교생활을 하려면 학교생활 규칙을 지켜야 합니다.

| 어휘 익히기 |

5 두 친구가 복도에서 부딪히는 모습입니다.

6 학교생활은 학생이 학교에서 지내는 생활을 말합니다.

| 맞춤법 · 받아쓰기 |

7 (1) 다가올 미래를 나타낼 때에는 '앞으로는'을 씁니다.
(2) '않다'에 어떤 행동에 대한 약속이나 의지를 나타낼 때는 '-ㄹ 게'가 합쳐진 '않을게요'가 바른 표현입니다.

8 (1) 낱말의 원래 모양은 '설레다'이고 '설레는'이 바른 표현입니다.
(2) 낱말의 원래 모양은 '멋쩍다'이고 '멋쩍은'이 바른 표현입니다.

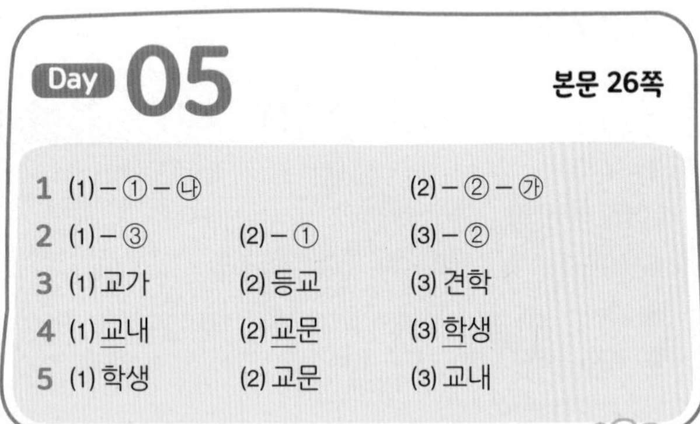

Day 05 본문 26쪽

1 (1)-①-㉯ (2)-②-㉮
2 (1)-③ (2)-① (3)-②
3 (1) 교가 (2) 등교 (3) 견학
4 (1) 교내 (2) 교문 (3) 학생
5 (1) 학생 (2) 교문 (3) 교내

1 (1) 學 배울(배우다) 학 (2) 校 학교 교

1주차 복습 본문 28쪽

(1) 건		(3) 비		(5) 설
방	(4) 대	결		레
지	(2) 후	회	하	다
다		(7) 등	교	(6) 견
				학

(1) 건방지다 (2) 후회하다 (3) 비결
(4) 대결 (5) 설레다 (6) 견학
(7) 등교

2주차

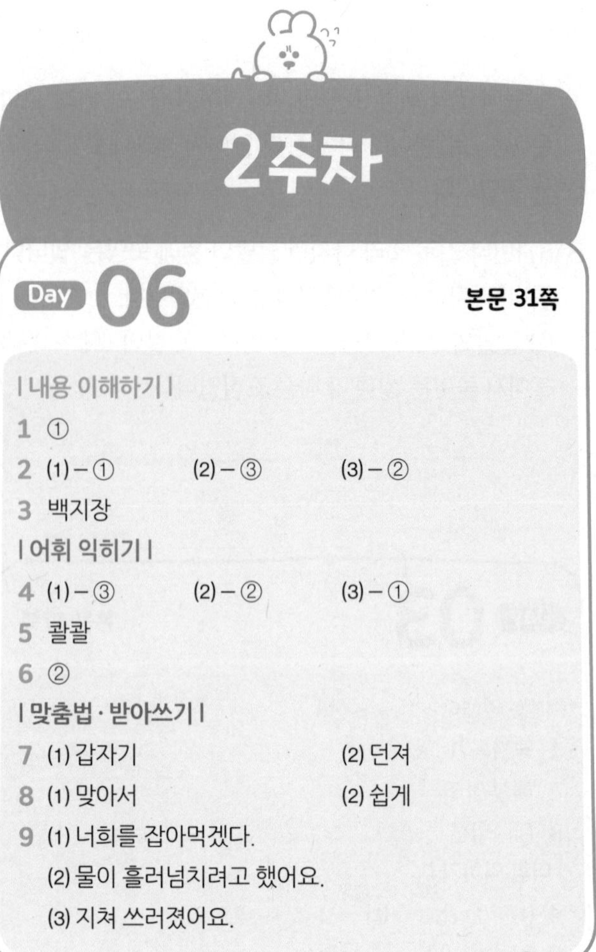

Day 06 본문 31쪽

| 내용 이해하기 |
1 ①
2 (1)-① (2)-③ (3)-②
3 백지장
| 어휘 익히기 |
4 (1)-③ (2)-② (3)-①
5 콸콸
6 ②
| 맞춤법 · 받아쓰기 |
7 (1) 갑자기 (2) 던져
8 (1) 맞아서 (2) 쉽게
9 (1) 너희를 잡아먹겠다.
(2) 물이 흘러넘치려고 했어요.
(3) 지쳐 쓰러졌어요.

| 내용 이해하기 |

1 재주꾼 오 형제는 함께 세상 구경을 하러 길을 떠났습니다.

2 (1) 첫 번째 내기에서 큰손이가 나무를 쑥쑥 뽑았습니다.
(2) 호랑이가 나뭇단에 불을 지르자 오줌이가 오줌을 누어서 불을 껐습니다.
(3) 콧김이가 콧바람을 불어 강을 얼렸습니다.

3 '서로 힘을 합치면 일이 훨씬 더 쉽다'라는 뜻의 속담은 '백지장도 맞들면 낫다'입니다.

| 어휘 익히기 |

6 벽에 종이를 붙이는 것이 쉬운 일이기는 하지만 서로 힘을 합치면 훨씬 더 쉬울 것입니다. '서로 힘을 합치면 일이 훨씬 더 쉽다'라는 뜻의 속담은 '백지장도 맞들면 낫다'입니다.

| 맞춤법 · 받아쓰기 |

7 (1) [갑짜기]로 소리 나지만 '갑자기'가 바른 표현입니다.
(2) 낱말의 원래 모양은 '던지다'이고 '던지-'에 '-어'가 붙어서 줄어든 말입니다.

8 (1) 낱말의 원래 모양은 '맞다'이고 '맞아서'가 바른 표현입니다.

(2) 낱말의 원래 모양은 '쉽다'이고 '쉽게'가 바른 표현입니다.

Day 07

본문 35쪽

| 내용 이해하기 |

1 ①

2 ③

3 입이 가볍고

| 어휘 익히기 |

4 (1) – ③ (2) – ① (3) – ②

5 ①

6 ②

| 맞춤법 · 받아쓰기 |

7 (1) 떼 (2) 훔쳤어요

8 (1) 풀숲 (2) 시냇물

9 (1) 남의 비밀도 함부로
(2) 뒤를 몰래 따라갔어요.
(3) 소 한 마리를 줄 테니

| 내용 이해하기 |

1 바토스는 남의 이야기를 하기 좋아했습니다.

2 "소가 있는 곳을 말해 주면 소 두 마리를 주겠소."라는 아폴론 신의 말을 통해 알 수 있습니다.

3 '말이 많고 비밀을 잘 지키지 않는다.'라는 뜻의 관용어는 '입이 가볍다'입니다.

| 어휘 익히기 |

5 '감히'는 '말이나 행동이 주제넘게.'라는 뜻입니다. '어머나'는 '예상하지 못한 일로 갑자기 놀라거나 감탄할 때 강조해서 내는 소리.'입니다. '도무지'는 '아무리 해도.'라는 뜻입니다.

6 현수는 윤지의 바지가 찢어졌다는 이야기를 남에게 함부로 말하고 다녔습니다. 이렇게 '말이 많고 비밀을 잘 지키지 않는' 것을 나타내는 관용어는 '입이 가볍다'입니다.

| 맞춤법 · 받아쓰기 |

7 (1) 여러 마리를 뜻하는 것이므로 '떼'가 알맞습니다. '때'는 '시간의 어떤 순간이나 부분.'이라는 뜻입니다.
(2) 낱말의 원래 모양은 '훔치다'이고 '훔치–'에 '–었어요'가 붙어서 줄어든 말입니다.

8 (1) '풀숲'이 바른 표현입니다.
(2) '시냇물'이 바른 표현입니다.

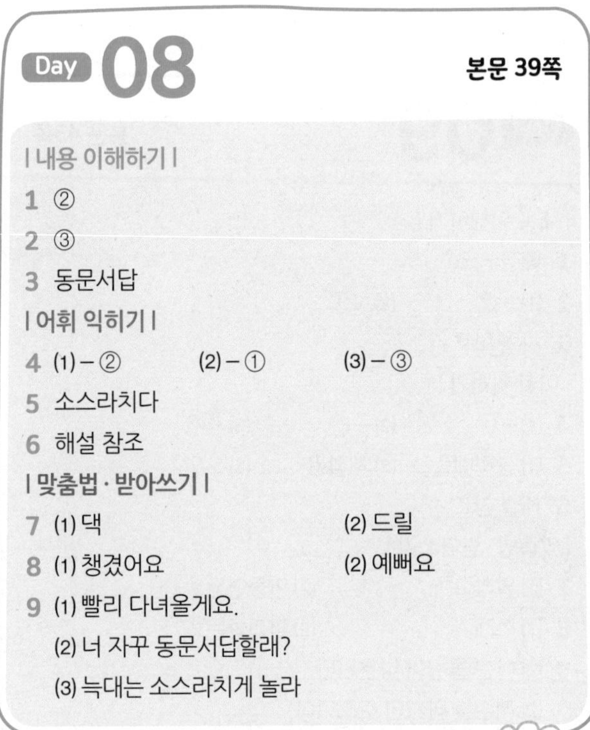

Day 08

본문 39쪽

| 내용 이해하기 |

1 ②

2 ③

3 동문서답

| 어휘 익히기 |

4 (1) – ② (2) – ① (3) – ③

5 소스라치다

6 해설 참조

| 맞춤법 · 받아쓰기 |

7 (1) 댁 (2) 드릴

8 (1) 챙겼어요 (2) 예뻐요

9 (1) 빨리 다녀올게요.
(2) 너 자꾸 동문서답할래?
(3) 늑대는 소스라치게 놀라

| 내용 이해하기 |

1 어디에 가는지를 묻는 늑대의 물음에 파란 모자는 꽃이 예쁘다는 전혀 상관없는 대답을 했습니다.

2 파란 모자는 할머니 댁에 가는 것을 말하지 않으려고 늑대의 물음에 엉뚱한 대답을 했습니다.

3 파란 모자가 한 것처럼 묻는 말과 전혀 상관없는 대답을 하는 것을 '동문서답'이라고 합니다.

| 어휘 익히기 |

5 아이는 벌레를 보고 소스라치게 놀라고 있습니다.

6 동쪽을 물어봤는데 서쪽을 대답하는 것처럼 묻는 말과 상관없는 대답을 하는 것이 '동문서답'입니다.

| 맞춤법 · 받아쓰기 |

7 (1) '집'의 높임말은 '댁'입니다.
(2) '주다'의 높임말은 '드리다'입니다.

8 (1) 낱말의 원래 모양은 '챙기다'이고 '챙기-'에 '-었어요'가 붙어서 줄어든 말입니다.
(2) 낱말의 원래 모양은 '예쁘다'이고 '예뻐요'가 바른 표현입니다.

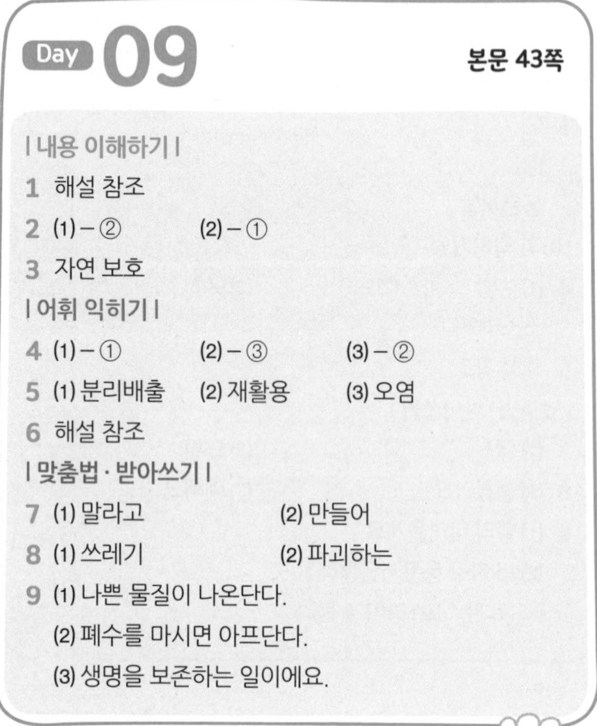

Day 09 본문 43쪽

| 내용 이해하기 |

1 해설 참조
2 (1) – ② (2) – ①
3 자연 보호

| 어휘 익히기 |

4 (1) – ① (2) – ③ (3) – ②
5 (1) 분리배출 (2) 재활용 (3) 오염
6 해설 참조

| 맞춤법 · 받아쓰기 |

7 (1) 말라고 (2) 만들어
8 (1) 쓰레기 (2) 파괴하는
9 (1) 나쁜 물질이 나온단다.
(2) 폐수를 마시면 아프단다.
(3) 생명을 보존하는 일이에요.

| 내용 이해하기 |

1 아기 곰은 산속에서 쓰레기를 줍는 아이를 보았습니다.

2 (1) "사람들은 자연을 파괴하는 일만 하는 줄 알았어."라는 아기 곰의 말을 통해 알 수 있습니다.
(2) "자연 보호를 위해 노력하는 사람들도 많아."라는 아이의 말을 통해 알 수 있습니다.

3 자연 보호는 우리가 사는 곳을 더 좋은 환경으로 만들어 동식물의 생명을 보존하는 일입니다.

| 어휘 익히기 |

5 (1) 쓰레기를 줄일 수 있는 활동은 분리배출입니다.
(2) 자원을 재활용해야 합니다.
(3) 물과 땅을 오염시키지 않아야 합니다.

6 분리배출은 자연 보호를 실천하는 일이지만, 아무 곳에나 쓰레기를 버리는 것은 자연을 오염시키는 일입니다.

| 맞춤법 · 받아쓰기 |

7 (1) 낱말의 원래 모양은 '말다'이고 '말라고'가 바른 표현입니다.
(2) 낱말의 원래 모양은 '만들다'이고 '만들어'가 바른 표현입니다.

8 (1) '쓰레기'가 바른 표현입니다.
(2) 낱말의 원래 모양은 '파괴하다'이고 '파괴하는'이 바른 표현입니다.

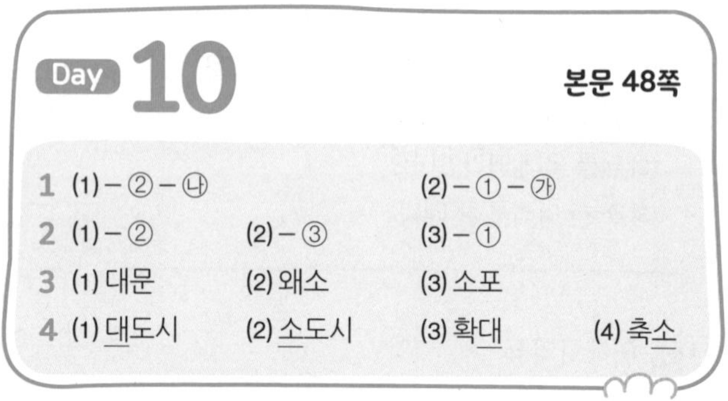

Day 10 본문 48쪽

1 (1) – ② – ㉯ (2) – ① – ㉮
2 (1) – ② (2) – ③ (3) – ①
3 (1) 대문 (2) 왜소 (3) 소포
4 (1) 대도시 (2) 소도시 (3) 확대 (4) 축소

1 (1) 大 클(크다) 대 (2) 小 작을(작다) 소

2주차 복습 본문 50쪽

(1) 내기 (2) 감히 (3) 어기다
(4) 침착하다 (5) 오염시키다 (6) 대륙
(7) 왜소

3주차

Day 11 본문 53쪽

| 내용 이해하기 |
1 ①
2 ②
3 가는 말이 고와야
| 어휘 익히기 |
4 (1) 버럭 (2) 다짜고짜
5 (1) – ① (2) – ③ (3) – ②
6 ②
| 맞춤법 · 받아쓰기 |
7 (1) 가득했어요 (2) 다짜고짜
8 (1) 콧방귀 (2) 비싸요
9 (1) 정신없이 바빴어요.
(2) 화가 났지만 꾹 참았어요.
(3) 서둘러 푸줏간을 떠났어요.

| 내용 이해하기 |

1 설날이 다가오자 푸줏간은 고기를 사려는 사람들로 가득했습니다.

2 '이놈, 돌쇠'는 상대를 하찮게 여겨 함부로 부르는 표현이고, '이 서방'은 상대를 존중하는 표현입니다. 존중하는 표현을 들으면 기분이 좋습니다.

3 '자기가 다른 사람에게 말이나 행동을 좋게 해야 다른 사람도 자기에게 좋게 한다.'는 뜻의 속담은 '가는 말이 고와야 오는 말이 곱다'입니다.

| 어휘 익히기 |

5 (1) ①의 오른쪽 두 아이들이 왼쪽 아이가 듣지 못하게 말하고 있으므로 '수군거리다'와 어울립니다.
(2) ③의 여자아이가 꽤 큰 햄버거를 들고 있으므로 '큼지막하다'와 어울립니다.
(3) ②의 남자아이가 마음 따뜻하게 강아지에게 먹이를 주고 있으므로 '다정하다'와 어울립니다.

6 언니가 동생에게 '바보'라고 할 때는 동생이 화가 나서 '언니가 더 바보'라고 하고, 언니가 동생을 칭찬해 주니 동생도 기분이 좋아 고맙다고 하는 상황입니다. '자기가 다른 사람에게 말이나 행동을 좋게 해야 다른 사람도 자기에게 좋게 한다.'라는 뜻의 속담은 '가는 말이 고와야 오는 말이 곱다'입니다.

| 맞춤법 · 받아쓰기 |

7 (1) 낱말의 원래 모양은 '가득하다'이고 '가득했어요'가 바른 표현입니다.
(2) '다짜고짜'가 바른 표현입니다.

8 (1) '코'와 '방귀'가 합쳐지면서 'ㅅ' 받침이 덧붙은 '콧방귀'가 바른 표현입니다.
(2) 낱말의 원래 모양은 '비싸다'이고 '비싸요'가 바른 표현입니다.

Day 12 본문 57쪽

| 내용 이해하기 |
1 ③
2 손이 빠르다
3 (1) 애타게 (2) 의논
| 어휘 익히기 |
4 (1) – ② (2) – ① (3) – ③
5 솜씨
6 손이 빠르다
| 맞춤법 · 받아쓰기 |
7 (1) 옷감 (2) 후딱
8 (1) 의논했어요 (2) 뉘우쳤어요
9 (1) 화는 풀리지 않았어요.
(2) 날개를 활짝 펴고
(3) 땅에는 이슬비가 내렸지요.

| 내용 이해하기 |

1 까치와 까마귀들이 은하수를 건널 수 없는 견우와 직녀가 만날 수 있도록 다리를 만들었습니다.

2 '손이 빠르다'는 '일 처리가 빠르다.'라는 뜻의 관용어입니다. 직녀는 손이 빨라서 고운 옷감을 후딱 짰습니다.

3 (1) '애타게'는 '몸시 답답하거나 안타까워 속이 타게.'라는 뜻입니다.
(2) '의논하다'는 '어떤 일에 대해 서로 의견을 나누다.'라는 뜻입니다.

| 어휘 익히기 |

5 '솜씨'는 '손으로 무엇을 만들거나 다루는 재주.'라는 뜻입니다.

6 글쓴이가 종이꽃 한 송이를 만드는 동안 누나는 종이꽃을 다섯 송이나 만들었으므로, 누나는 종이꽃을 빨리 만드는 것입니다. 이렇게 일 처리가 빠른 사람에게 '손이 빠르다'라는 표현을 사용합니다.

| 맞춤법 · 받아쓰기 |

7 (1) '옷감'이 바른 표현입니다.
(2) '후딱'이 바른 표현입니다.

8 (1) 낱말의 원래 모양은 '의논하다'이고 '의논했어요'가 바른 표현입니다.
(2) 낱말의 원래 모양은 '뉘우치다'이고 '뉘우쳤어요'가 바른 표현입니다.

Day 13 본문 61쪽

| 내용 이해하기 |
1 ①
2 ②
3 칠전팔기
| 어휘 익히기 |
4 (1) 좌절 (2) 도전 (3) 조절
5 방향
6 나리
| 맞춤법 · 받아쓰기 |
7 (1) 첫 비행 (2) 어릴 때부터
8 (1) 읽었어요 (2) 끊임없는
9 (1) 장난감을 가지고 놀다가
(2) 수많은 실험 끝에
(3) 비행기의 시대가 열렸어요.

| 내용 이해하기 |

1 라이트 형제는 독일 발명가의 글라이더 실험에 자극을 받았고, 어릴 때부터 꿈꾸던 하늘을 나는 기계를 만들기로 했습니다.

2 라이트 형제는 하늘을 나는 기계를 만들기 위해 새가 어떻게 날고 방향을 바꾸는지 관찰했습니다.

3 라이트 형제처럼 실패하더라도 포기하지 않고 꾸준히 노력하는 모습을 나타낼 때는 '일곱 번 넘어지고 여덟 번 일어난다.'라는 뜻의 '칠전팔기'를 쓸 수 있습니다.

| 어휘 익히기 |

5 '방향'은 '어떤 지점이나 방위를 향하는 쪽.'을 말합니다. 어느 쪽으로 가라고 말할 때 사용합니다.

6 칠전팔기'는 '일곱 번 넘어지고 여덟 번 일어난다.'라는 뜻입니다. 여러 번 실패해도 포기하지 않고 계속 노력하는 것을 의미하므로, 나리의 말과 관계있습니다.

| 맞춤법 · 받아쓰기 |

7 (1) '첫'과 '비행'은 각각의 낱말이므로 띄어 써야 합니다.
(2) '어리다'와 '때(시기)'는 각각의 낱말이므로 띄어 써야 합니다.

8 (1) 낱말의 원래 모양은 '읽다'이고 '읽-'에 '-었어요'가 합쳐진 '읽었어요'가 바른 표현입니다.
(2) 낱말의 원래 모양은 '끊임없다'이고 '끊임없는'이 바른 표현입니다.

Day 14 본문 65쪽

| 내용 이해하기 |
1 예절맨
2 (1) – ③ (2) – ① (3) – ②
3 (1) 가족 (2) 예절
| 어휘 익히기 |
4 (1) – ② (2) – ③ (3) – ①
5 바르게
6 해설 참조
| 맞춤법 · 받아쓰기 |
7 (1) 진지 (2) 주무세요
8 (1) 좋아져요 (2) 말씀
9 (1) 가르쳐 드릴게요.
(2) 이런저런 이야기를 나누면
(3) 가장 중요한 인사말

| 내용 이해하기 |

1 자신의 별명은 '예절맨'이라고 말하면서 글을 시작하고 있습니다.

2 (1) 아침에 일어났을 때에는 밤새 잘 주무셨는지를 확인하는 인사를 합니다.
(2) 식사할 때에는 식사를 차려 주신 분께 잘 먹겠다는 인사를 합니다.
(3) 학교에서 집으로 돌아왔을 때에는 다녀왔다고 알리는 인사를 합니다.

3 글쓴이는 가족 사이에 인사 예절을 잘 지키면 가족이 화목해진다고 했습니다.

| 어휘 익히기 |

5 '바르다'는 '말이나 행동이 옳고 그름에 어긋남이 없다.' 라는 뜻으로, '바르게 인사한다.'나 '마음가짐을 바르게 한다.'와 같이 쓸 수 있습니다.

6 부모님께서 맛있는 것을 주실 때 '감사합니다.' 라고 말하는 것이 예절 바른 행동입니다.

| 맞춤법 · 받아쓰기 |

7 (1) '밥'의 높임말은 '진지'입니다.
(2) '자다'의 높임말은 '주무시다'입니다.

8 (1) 낱말의 원래 모양은 '좋아지다'이고 '좋아지-'에 '-어요'가 붙어서 줄어든 말입니다.
(2) '말씀'이 바른 표현입니다.

Day 15

본문 70쪽

1 (1) ① (2) ③
2 (1) 국가 (2) 국사 (3) 토지
3 ③
4 (1) 국화 (2) 국기 (3) 영토
5 (1) 국화 (2) 국기 (3) 영토

1 (1) 國 나라 국 (2) 土 흙 토

3 ①과 ②의 빈칸에 들어갈 글자는 '토'입니다. (토종, 황토)
③의 빈칸에 들어갈 글자는 '국'입니다. (전국)

3주차 복습

본문 72쪽

(1) 다짜고짜 (2) 솜씨 (3) 조절하다
(4) 예절 (5) 바르다 (6) 전국
(7) 토종

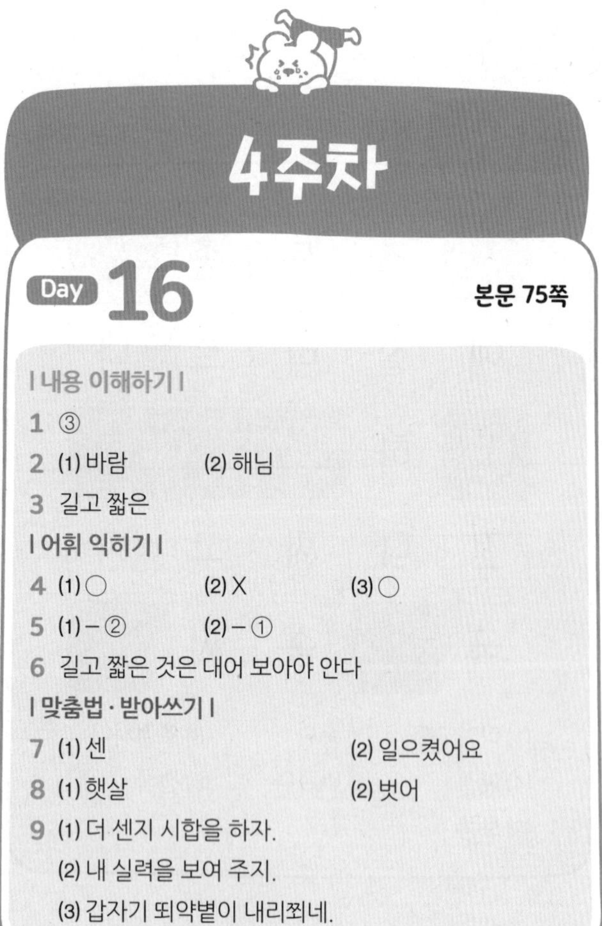

4주차

Day 16

본문 75쪽

| 내용 이해하기 |

1 ③

2 (1) 바람 (2) 해님

3 길고 짧은

| 어휘 익히기 |

4 (1) ○ (2) X (3) ○

5 (1) – ② (2) – ①

6 길고 짧은 것은 대어 보아야 안다

| 맞춤법 · 받아쓰기 |

7 (1) 센 (2) 일으켰어요

8 (1) 햇살 (2) 벗어

9 (1) 더 센지 시합을 하자.
(2) 내 실력을 보여 주지.
(3) 갑자기 뙤약볕이 내리쬐네.

| 내용 이해하기 |

1 해님과 바람은 말다툼을 하고 있습니다.

2 (1) 바람이 가장 강하고 찬 바람을 일으키자 남자가 한 말입니다.
(2) 해님이 뜨겁고 강한 햇살을 보내자 남자가 한 말입니다.

3 '능력의 차이는 겨루어 보아야 확실히 드러난다.'라는 뜻의 속담은 '길고 짧은 것은 대어 보아야 안다'입니다.

| 어휘 익히기 |

4 (2) '말다툼'은 '옳고 그름을 가리기 위해 말로 다투는 일.'이라는 뜻입니다. '서로 재주를 부려 승부를 겨루는 일.'을 뜻하는 낱말은 '시합'입니다.

5 (1) ② 고양이가 밥그릇을 엎자, 강아지가 화가 나서 씩씩거리고 있으므로 '씩씩거리다'가 어울립니다.
(2) ① 호랑이가 자신만만한 표정으로 힘자랑을 하고 있으므로 '자신만만하다'가 어울립니다.

6 덩치가 작아서 씨름에 질 줄 알았던 아이가 오히려 씨름에서 이겼습니다. 이처럼 능력의 차이는 겨루어 봐야 확실히 알 수 있다고 이야기할 때 '길고 짧은 것은 대어 보아야 안다'라는 속담을 사용할 수 있습니다.

| 맞춤법 · 받아쓰기 |

7 (1) 낱말의 원래 모양은 '세다'이고 '센'이 바른 표현입니다.
(2) 낱말의 원래 모양은 '일으키다'이고 '일으켰어요'가 바른 표현입니다.

8 (1) '해'와 '살'이 한 낱말로 합쳐질 때 'ㅅ' 받침이 덧붙은 '햇살'이 바른 표현입니다.
(2) 낱말의 원래 모양은 '벗다'이고 '벗어'가 바른 표현입니다.

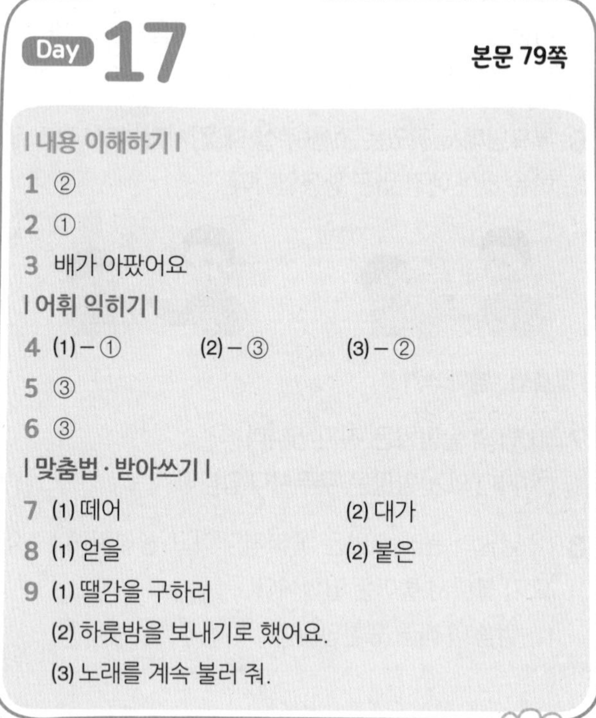

Day 17

본문 79쪽

| 내용 이해하기 |

1 ②

2 ①

3 배가 아팠어요

| 어휘 익히기 |

4 (1) – ① (2) – ③ (3) – ②

5 ③

6 ③

| 맞춤법 · 받아쓰기 |

7 (1) 떼어 (2) 대가

8 (1) 얻을 (2) 붙은

9 (1) 땔감을 구하러
(2) 하룻밤을 보내기로 했어요.
(3) 노래를 계속 불러 줘.

| 내용 이해하기 |

1 착한 혹부리 영감은 땔감을 구하러 산에 갔습니다.

2 도깨비 대장은 혹을 달아도 노래를 잘 부를 수 없었고, 자신이 속았다는 생각에 화가 났습니다. 그래서 혹부리 영감에게 벌을 주고 싶었습니다.

3 못된 혹부리 영감은 착한 혹부리 영감이 부자가 된 것에 심술이 나고 속이 상했습니다. '남이 잘 되는 것이 심술이 나고 속이 상하다.'라는 뜻의 관용어는 '배가 아프다'입니다.

| 어휘 익히기 |

5 '컴컴하다'는 '주변이 보이지 않을 만큼 아주 어둡다.'라는 뜻입니다.

6 남자아이는 국어 시험에서 민영이가 백 점을 맞았는데

자신은 구십 점을 맞아서 속이 상했습니다. '남이 잘 되는 것이 속이 상하다.'라는 뜻의 관용어는 '배가 아프다' 입니다.

| 맞춤법 · 받아쓰기 |

7 (1) 낱말의 원래 모양은 '떼다'이고 '떼어'가 바른 표현입니다.
(2) '대가'가 바른 표현입니다.

8 (1) 낱말의 원래 모양은 '얻다'이고 '얻을'이 바른 표현입니다.
(2) 낱말의 원래 모양은 '붙다'이고 '붙은'이 바른 표현입니다.

Day 18 **본문 83쪽**

| 내용 이해하기 |

1 ①
2 해설 참조
3 유구무언

| 어휘 익히기 |

4 (1) – ③ (2) – ② (3) – ①
5 빙긋이 웃다.
6 ②

| 맞춤법 · 받아쓰기 |

7 (1) 심술쟁이 (2) 산딸기
8 (1) 마음대로 (2) 어이없다는
9 (1) 심술을 부렸어요.
(2) 끙끙 앓았어요.
(3) 얼굴을 붉히며 말했어요.

| 내용 이해하기 |

1 심술쟁이 사또는 얼굴에 심술이 가득하고 찡그린 얼굴일 것입니다.

2 사또는 엄동설한인데 독사가 어디 있냐고 말했고, 이에 이방의 아들은 한겨울에 산딸기는 어디 있냐고 따졌습니다. 이 말을 들은 사또는 엄동설한에 산딸기를 따오라고 심술을 부린 것이 부끄러워서 할 말이 없었습니다.

3 '유구무언'은 '입은 있어도 말은 없다.'라는 뜻으로, 변명할 말이 없거나 변명을 못한다는 말입니다.

| 어휘 익히기 |

5 가볍게 웃는 표정이므로 '빙긋이 웃다.'가 어울리는 말입니다.

6 오늘도 공부를 하지 않고 놀기만 한 아들이 입은 있으나 할 말이 없다고 했으므로, '유구무언'이 알맞습니다.

| 맞춤법 · 받아쓰기 |

7 (1) '심술쟁이'는 '심술'과 '–쟁이'를 합한 것으로, '심술을 많이 가진 사람.'이라는 뜻을 가진 하나의 낱말입니다.
(2) '산딸기'는 '산'과 '딸기'를 합한 것으로, '산에서 나는 딸기의 종류.'를 나타내는 하나의 낱말입니다.

8 (1) '마음대로'가 바른 표현입니다.
(2) 낱말의 원래 모양은 '어이없다'이고 '어이없다는'이 바른 표현입니다.

Day 19 **본문 87쪽**

| 내용 이해하기 |

1 해설 참조
2 ③
3 여름 날씨

| 어휘 익히기 |

4 (1) 예약 (2) 숙소 (3) 태풍
5 일기 예보
6 여름 날씨

| 맞춤법 · 받아쓰기 |

7 (1) 내일 (2) 모레
8 (1) 바닷물 (2) 괜찮아요
9 (1) 태풍이 와서 그렇대요.
(2) 농사짓기도 좋죠.
(3) 비 오기를 기다렸잖아요.

| 내용 이해하기 |

1 여름 휴가 때 털모자는 필요하지 않습니다.

2 엄마는 여름에 비가 많이 와야 농사짓기 좋다고 했습니다.

3 우리나라의 여름 날씨는 장마와 태풍으로 비가 많이 오고 무덥기도 합니다.

| 어휘 익히기 |

5 그림은 일기 예보를 하는 모습입니다.

6 무더위, 장마, 태풍은 우리나라 여름 날씨의 특징입니다.

| 맞춤법 · 받아쓰기 |

7 (1) 오늘의 다음 날을 나타내는 말은 '내일'입니다.
(2) 내일의 다음 날은 '모레'입니다. '모래'는 '잘게 부스러진 돌의 알갱이.'입니다.

8 (1) '바다'와 '물'이 한 낱말로 합쳐지며 '바다'에 'ㅅ'받침이 덧붙은 '바닷물'이 바른 표현입니다.
(2) 낱말의 원래 모양은 '괜찮다'이고 '괜찮아요'가 바른 표현입니다 .

Day 20 본문 92쪽

1 (1)－②－㉮ (2)－①－㉯
2 (1) 농부 (2) 농촌 (3) 농산물
3 (1) 매사 (2) 사정 (3) 사례
4 (1) 농장 (2) 농기구 (3) 사고 (4) 기사

1 (1) 農 농사 농 (2) 事 일 사

4주차 복습 본문 182쪽

(1) 실력 (2) 컴컴하다 (3) 어이없다
(4) 예약하다 (5) 빙긋이 (6) 농산물
(7) 사례

Day 21

본문 97쪽

| 내용 이해하기 |

1 1－3－2－4
2 (1) 흥부 (2) 흥부 (3) 놀부
3 뿌린 대로

| 어휘 익히기 |

4 (1) 내쫓다 (2) 치료하다 (3) 타다
5 ②
6 ①

| 맞춤법 · 받아쓰기 |

7 (1) 형제 (2) 부러뜨리고
8 (1) 덮고 (2) 쏟아졌어요
9 (1) 새봄이 되어 돌아온 제비
(2) 박이 주렁주렁 열렸어요.
(3) 험상궂은 얼굴을 한 도깨비

| 내용 이해하기 |

1 놀부가 흥부를 집에서 내쫓았습니다. → 흥부네 가족이 부자가 되었습니다. → 박에서 나온 도깨비가 놀부를 때렸습니다. → 흥부는 거지가 된 놀부에게 같이 살자고 했습니다.

2 흥부가 탄 박에서는 쌀, 보석, 하인들이 나왔고 놀부가 탄 박에서는 똥물, 도둑, 도깨비가 나왔습니다.

3 '행동한 대로 결과가 돌아온다.'라는 뜻의 속담은 '뿌린 대로 거둔다'입니다.

| 어휘 익히기 |

5 '탐스럽게'는 '가지고 싶은 마음이 들 정도로 보기가 좋고 끌리게.'라는 뜻인데, 감이 떨어지는 것은 보기에 좋거나 마음이 끌리는 모습이 아니므로 문장과 어울리지 않습니다.

6 시험 공부를 열심히 한 친구는 시험 성적을 보고 기뻐하고 있고, 시험 공부를 열심히 하지 않은 친구는 시험 성적을 보고 실망하고 있는 상황입니다. 이처럼 행동한 대로 결과가 돌아온다는 뜻의 속담은 '뿌린 대로 거둔다'입니다.

| 맞춤법 · 받아쓰기 |

7 (1) '형제'가 바른 표현입니다.
(2) 낱말의 원래 모양은 '부러뜨리다'이고 '부러뜨리고'가 바른 표현입니다.

8 (1) 낱말의 원래 모양은 '덮다'이고 '덮고'가 바른 표현입니다.
(2) 낱말의 원래 모양은 '쏟아지다'이고 '쏟아졌어요'가 바른 표현입니다.

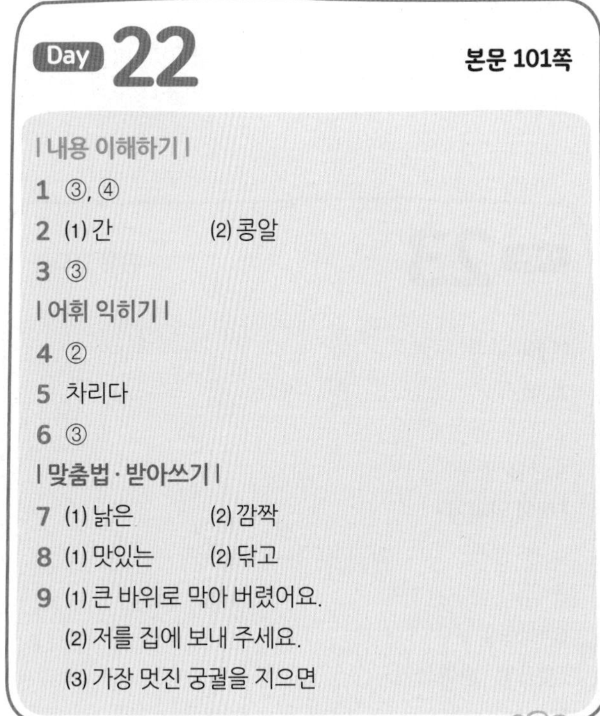

Day 22

본문 101쪽

| 내용 이해하기 |

1 ③, ④
2 (1) 간 (2) 콩알
3 ③

| 어휘 익히기 |

4 ②
5 차리다
6 ③

| 맞춤법 · 받아쓰기 |

7 (1) 낡은 (2) 깜짝
8 (1) 맛있는 (2) 닦고
9 (1) 큰 바위로 막아 버렸어요.
(2) 저를 집에 보내 주세요.
(3) 가장 멋진 궁궐을 지으면

| 내용 이해하기 |

1 알라딘은 램프의 거인에게 "맛있는 음식을 가득 차려 줘."라는 말과 공주와 결혼하기 위해 "내일까지 세상에서 가장 화려한 궁궐을 지어 줘."라는 말을 했습니다.

2 반지의 거인이 '펑' 소리와 함께 나타나서 알라딘은 깜짝 놀라고 겁도 났습니다. '간이 콩알만 해지다'는 매우 겁이 날 때 쓰는 관용어입니다.

3 알라딘은 예쁜 공주를 보고 한눈에 반했고, 공주와 결혼하고 싶어서 궁궐로 달려갔습니다.

| 어휘 익히기 |

4 '황당하다'는 '말이나 행동 등이 진실하지 않고 터무니없다.'라는 뜻입니다. '물건이 오래되어 허름하다.'는 '낡다'의 뜻입니다.

6 어두운 길을 걷다가 뒤에서 흰 손이 나타나 매우 겁이 난 상황이므로 '간이 콩알만 해지다'가 알맞습니다.
① '간이 크다'는 '겁이 없다.'라는 뜻의 관용어입니다.
② '간이 붓다'는 '처지나 상황에 맞지 않게 지나치게 용감하다.'라는 뜻의 관용어입니다.

| 맞춤법 · 받아쓰기 |

7 (1) [날근]으로 소리 나지만 '낡은'이 바른 표현입니다. 낱말의 원래 모양은 '낡다'입니다.
(2) '깜짝'이 바른 표현입니다.

8 (1) 낱말의 원래 모양은 '맛있다'이고 '맛있는'이 바른 표현입니다.
(2) 낱말의 원래 모양은 '닦다'이고 '닦고'가 바른 표현입니다.

Day 23 본문 105쪽

| 내용 이해하기 |
1 인사
2 ②
3 십중팔구
| 어휘 익히기 |
4 (1) 강제 (2) 광장 (3) 지배
5 ①
6 십중팔구
| 맞춤법 · 받아쓰기 |
7 (1) 졸이며 (2) 씌운
8 (1) 막대기 (2) 꽂혔어요
9 (1) 가죽을 파는 일을 했어요.
(2) 강제로 일을 시켰어요.
(3) 사과에 화살을 쏘아 맞히면

| 내용 이해하기 |

1 총독은 마을 광장에 모자를 씌운 막대기를 세워 두고 마을 사람들에게 이 모자에 인사하게 했는데, 빌헬름 텔과 아들은 이 모자를 그냥 지나쳐서 체포되었습니다.

2 빌헬름 텔은 활을 잘 쏘았지만, 혹시라도 아들이 다칠까 봐 걱정했습니다.

| 어휘 익히기 |

5 과녁 정가운데 화살이 박혀 있는 그림이 '명중시키다'에 어울립니다.

6 '거의 대부분'을 나타내는 한자 성어는 '십중팔구'입니다.

| 맞춤법 · 받아쓰기 |

7 (1) [조리며]로 소리 나지만 '조마조마하다.'라는 뜻의 '졸이다'가 낱말의 원래 모양입니다. 따라서 '졸이며'가 바른 표현입니다. '조리며'는 '바짝 끓이며.'라는 뜻입니다.
(2) 낱말의 원래 모양은 '씌우다'이고 '씌운'이 바른 표현입니다.

8 (1) '막대기'가 바른 표현입니다.
(2) 낱말의 원래 모양은 '꽂히다'이고 '꽂혔어요'가 바른 표현입니다.

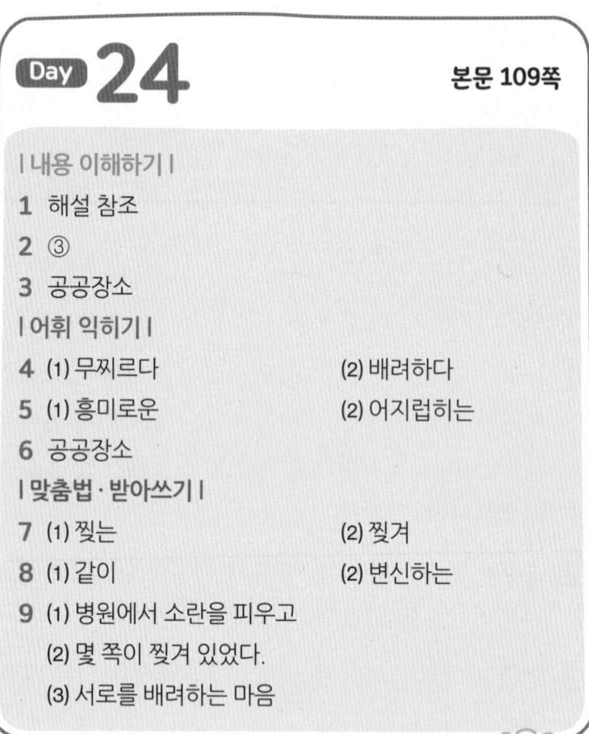

Day 24 본문 109쪽

| 내용 이해하기 |
1 해설 참조
2 ③
3 공공장소
| 어휘 익히기 |
4 (1) 무찌르다 (2) 배려하다
5 (1) 흥미로운 (2) 어지럽히는
6 공공장소
| 맞춤법 · 받아쓰기 |
7 (1) 찢는 (2) 찢겨
8 (1) 같이 (2) 변신하는
9 (1) 병원에서 소란을 피우고
(2) 몇 쪽이 찢겨 있었다.
(3) 서로를 배려하는 마음

| 내용 이해하기 |

1 글쓴이는 병원 질서를 어지럽히는 악당들을 무찌르기 위해 산이가 로봇으로 변신하는 만화책을 읽었습니다.

2 글쓴이는 글의 마지막 단락에서 공공장소에 놓여 있는 물건은 여러 사람이 함께 사용하는 것이므로 소중하게 이용하면 좋겠다고 했습니다.

3 여러 사람이 함께 이용하는 곳은 공공장소입니다.

| 어휘 익히기 |

6 여러 사람이 함께 이용하는 공원, 놀이터, 극장, 전철역 등을 공공장소라고 합니다.

| 맞춤법 · 받아쓰기 |

7 낱말의 원래 모양은 '찢다'이고, '찢는'과 '찢겨'가 바른 표현입니다.

8 (1) [가치]로 소리 나지만, '같이'가 바른 표현입니다.
(2) 낱말의 원래 모양은 '변신하다'이고 '변신하는'이 바른 표현입니다.

Day 25

본문 114쪽

1	(1) ①	(2) ④		
2	(1) – ②	(2) – ④	(3) – ①	(4) – ③
3	(1) 전액	(2) 보안		
4	(1) 편안	(2) 불안	(3) 전력	(4) 전부

1 (1) 安 편안 안 (2) 全 온전할 전

5주차 복습

본문 116쪽

(1) 치료하다 (2) 황당하다 (3) 강제
(4) 흥미롭다 (5) 배려하다 (6) 안심
(7) 전교

6주차

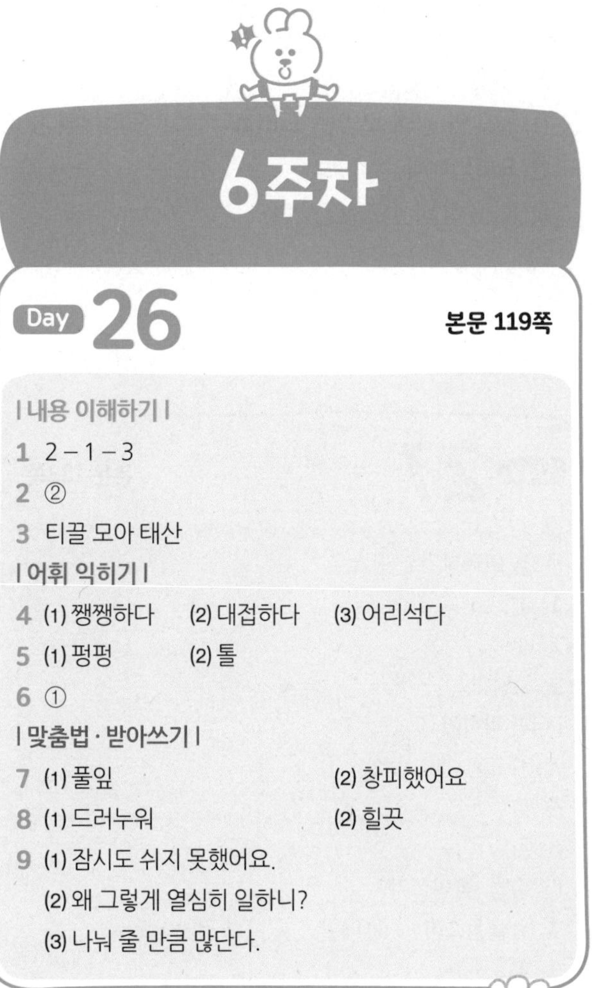

Day 26

본문 119쪽

| 내용 이해하기 |

1 2 – 1 – 3
2 ②
3 티끌 모아 태산

| 어휘 익히기 |

4 (1) 쨍쨍하다 (2) 대접하다 (3) 어리석다
5 (1) 펑펑 (2) 톨
6 ①

| 맞춤법 · 받아쓰기 |

7 (1) 풀잎 (2) 창피했어요
8 (1) 드러누워 (2) 힐끗
9 (1) 잠시도 쉬지 못했어요.
(2) 왜 그렇게 열심히 일하니?
(3) 나눠 줄 만큼 많단다.

| 내용 이해하기 |

1 베짱이는 여름 동안 풀잎에 드러누워 노래만 했습니다. → 겨울이 되자 베짱이는 너무 춥고 배가 고팠습니다. → 베짱이는 개미네 집에 찾아갔고, 개미들은 베짱이에게 따뜻한 식사를 대접했습니다.

2 개미들은 베짱이에게 따뜻한 식사를 대접했습니다.

3 '아무리 작은 것이라도 모이면 나중에 큰 것이 된다.'는 뜻의 속담은 '티끌 모아 태산'입니다.

| 어휘 익히기 |

5 (1) 눈이나 비가 세차게 쏟아져 내리는 모양을 나타내는 낱말은 '펑펑'입니다. '엉엉'은 목을 놓아 크게 우는 소리나 모양입니다.
(2) 곡식의 낱알을 세는 단위는 '톨'입니다.

6 이백 원씩 모아 이천만 원이라는 큰 금액이 되었습니다. 이렇게 작은 것이 모여 큰 것이 될 때 '티끌 모아 태산'이라고 합니다.

| 맞춤법 · 받아쓰기 |

7 (1) [풀립]으로 소리 나지만 '풀잎'이 바른 표현입니다.
(2) 낱말의 원래 모양은 '창피하다'이고 '창피했어요'가 바른 표현입니다.

8 (1) 낱말의 원래 모양은 '드러눕다'이고 '드러누워'가 바른 표현입니다.
(2) '힐끗'이 바른 표현입니다.

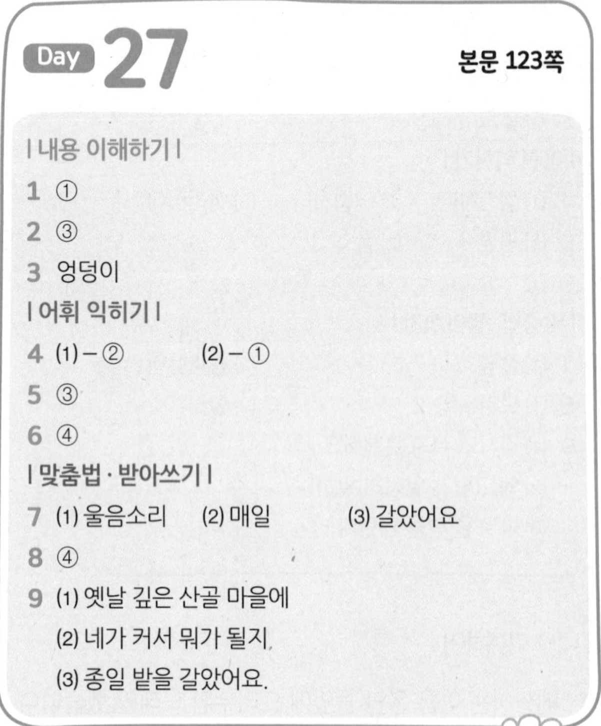

Day **27** **본문 123쪽**

| 내용 이해하기 |
1 ①
2 ③
3 엉덩이
| 어휘 익히기 |
4 (1) – ② (2) – ①
5 ③
6 ④
| 맞춤법 · 받아쓰기 |
7 (1) 울음소리 (2) 매일 (3) 갈았어요
8 ④
9 (1) 옛날 깊은 산골 마을에
(2) 네가 커서 뭐가 될지,
(3) 종일 밭을 갈았어요.

| 내용 이해하기 |

1 "이 소는 무를 먹으면 죽으니 무를 먹이지 마시오."라는 할아버지의 말에서 알 수 있습니다.

2 ③ 다시 사람이 되어 집으로 돌아온 먹쇠는 매일 열심히 일하며 행복하게 살았습니다.

3 먹쇠는 게으르고 심부름을 시켜도 움직이지 않았습니다. 이렇게 한번 자리를 잡으면 좀처럼 일어나지 않는 사람을 '엉덩이가 무겁다'고 합니다.

| 어휘 익히기 |

5 '게으르다'는 '행동이 느리고 움직이거나 일하기를 싫어하다.'라는 뜻의 낱말입니다. 이와 뜻이 반대인 낱말은 '부지런하다'입니다. ① '울부짖다'는 '마구 울면서 큰 소리를 내다.'라는 뜻이고, ② '투덜거리다'는 '작고 낮은 목소리로 자꾸 불평을 하다.'라는 뜻입니다.

6 수영이는 도서관에 오랜 시간 계속 앉아 있었습니다. 이렇게 한번 자리를 잡으면 좀처럼 일어나지 않는 사람을 '엉덩이가 무겁다'고 합니다.

| 맞춤법 · 받아쓰기 |

7 (1) '울음'과 '소리'가 한 단어로 합쳐진 '울음소리'가 바른 표현입니다.
(2) '하루하루 모든 날.'의 뜻이 되어야 하므로 '매일'이 바른 표현입니다. '메일'은 '인터넷 등으로 주고받는 편지.'라는 뜻입니다.
(3) 낱말의 원래 모양은 '갈다'이고 '갈았어요'가 바른 표현입니다.

8 ④ 낱말의 원래 모양은 '울부짖다'이므로 '울부짖었어요'로 고쳐야 합니다.

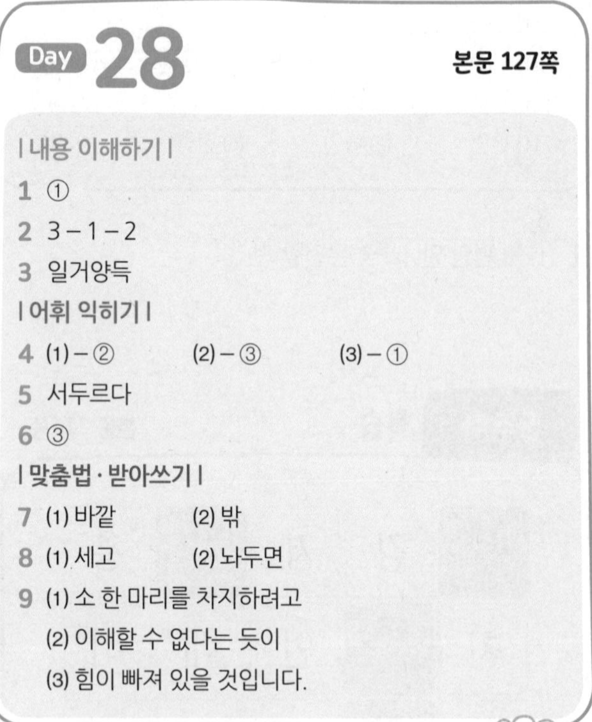

Day **28** **본문 127쪽**

| 내용 이해하기 |
1 ①
2 3 – 1 – 2
3 일거양득
| 어휘 익히기 |
4 (1) – ② (2) – ③ (3) – ①
5 서두르다
6 ③
| 맞춤법 · 받아쓰기 |
7 (1) 바깥 (2) 밖
8 (1) 세고 (2) 놔두면
9 (1) 소 한 마리를 차지하려고
(2) 이해할 수 없다는 듯이
(3) 힘이 빠져 있을 것입니다.

| 내용 이해하기 |

1 글에서 변장자는 '힘이 아주 세고 용감한 장사'라고 했습니다.

2 호랑이 두 마리가 소를 두고 싸웠습니다. → 호랑이 두 마리 중 한 마리가 싸움에서 이겼습니다. → 변장자는 싸움에서 이겼지만 지쳐 있는 다른 호랑이를 잡았습니다.

3 '한 가지 일을 해서 두 가지 이익을 얻음.'이라는 뜻의 한자 성어는 '일거양득'입니다.

| 어휘 익히기 |

5 '느긋하다'는 '서두르지 않고 마음에 여유가 있다.'는 뜻이므로, 이와 뜻이 반대인 낱말은 '서두르다'입니다.

6 줄넘기를 해서 키가 커진 것과 몸이 튼튼해진 것의 두 가지 이익을 보고, 방 청소를 해서 방이 깨끗해진 것과 잃어버렸던 용돈을 찾은 것 두 가지 이익을 얻은 상황입니다. '한 가지 일을 해서 두 가지 이익을 얻음.'을 나타내는 한자 성어는 '일거양득'입니다.

| 맞춤법 · 받아쓰기 |

7 (1) [바깓]으로 소리 나지만 '바깥'이 바른 표현입니다.
(2) '밖'이 바른 표현입니다.

8 (1) 낱말의 원래 모양은 '세다'이고 '세고'가 바른 표현입니다. '새고'의 원래 낱말인 '새다'는 '틈이나 구멍으로 무언가가 빠져나가다.'라는 뜻입니다.
(2) 낱말의 원래 모양은 '놔두다'이고 '놔두면'이 바른 표현입니다.

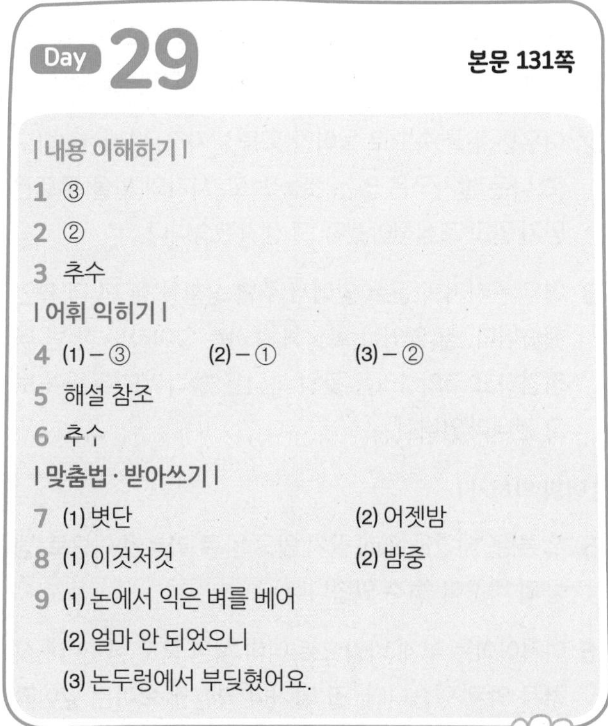

Day 29 본문 131쪽

| 내용 이해하기 |
1 ③
2 ②
3 추수
| 어휘 익히기 |
4 (1) – ③ (2) – ① (3) – ②
5 해설 참조
6 추수
| 맞춤법 · 받아쓰기 |
7 (1) 볏단 (2) 어젯밤
8 (1) 이것저것 (2) 밤중
9 (1) 논에서 익은 벼를 베어
(2) 얼마 안 되었으니
(3) 논두렁에서 부딪혔어요.

| 내용 이해하기 |

1 이 이야기는 벼가 누렇게 익는 가을을 배경으로 하고 있습니다.

2 형은 아우가 장가간 지 얼마 안 되어 필요한 게 많을 것 같아서 자신의 볏단을 아우의 논에 옮겼습니다.

3 가을에 논과 밭에서 잘 익은 곡식이나 작물 등을 거두어들이는 것을 '추수'라고 합니다.

| 어휘 익히기 |

5 '논두렁'은 논의 가장자리를 흙으로 둘러서 막은 둑이고, '볏단'은 벼를 베어서 묶은 것입니다.

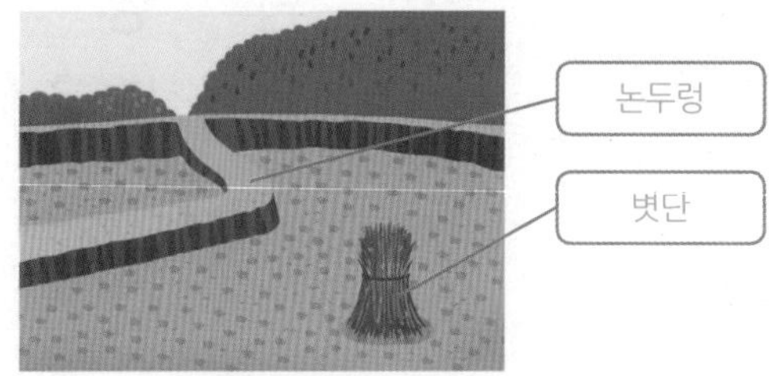

6 벼가 누렇게 익으면 벼를 거두어들이는 추수를 합니다. 가을에 곡식을 거두어들이는 것을 '추수'라고 합니다.

| 맞춤법 · 받아쓰기 |

7 (1) '벼'와 '단'이 한 낱말로 합쳐지면서 'ㅅ' 받침이 덧붙은 '볏단'이 바른 표현입니다.
(2) '어제'와 '밤'이 한 낱말로 합쳐지면서 'ㅅ' 받침이 덧붙은 '어젯밤'이 바른 표현입니다.

8 (1) '이것'과 '저것'이 한 낱말로 합쳐진 '이것저것'이 바른 표현입니다.
(2) [밤쭝]으로 소리 나지만 '밤중'이 바른 표현입니다.

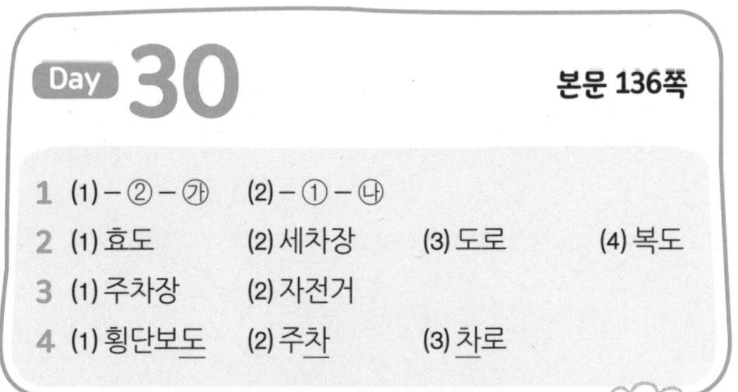

Day 30 본문 136쪽

1 (1) – ② – ㉮ (2) – ① – ㉯
2 (1) 효도 (2) 세차장 (3) 도로 (4) 복도
3 (1) 주차장 (2) 자전거
4 (1) 횡단보도 (2) 주차 (3) 차로

1 (1) 車 수레 차 (2) 道 길 도

3 (1) 차를 세우는 곳은 주차장입니다.
(2) 빌려서 타고 다닐 수 있는 것은 자전거입니다.

6주차 복습

본문 138쪽

(6) 세	차	장		
(7) 도	로	(1) 대	(5) 풍	(2) 우
		접	년	렁
(4) 느	긋	하	다	차
	(3) 묵	다		다

(1) 대접하다 (2) 우렁차다 (3) 묵다
(4) 느긋하다 (5) 풍년 (6) 세차장
(7) 도로

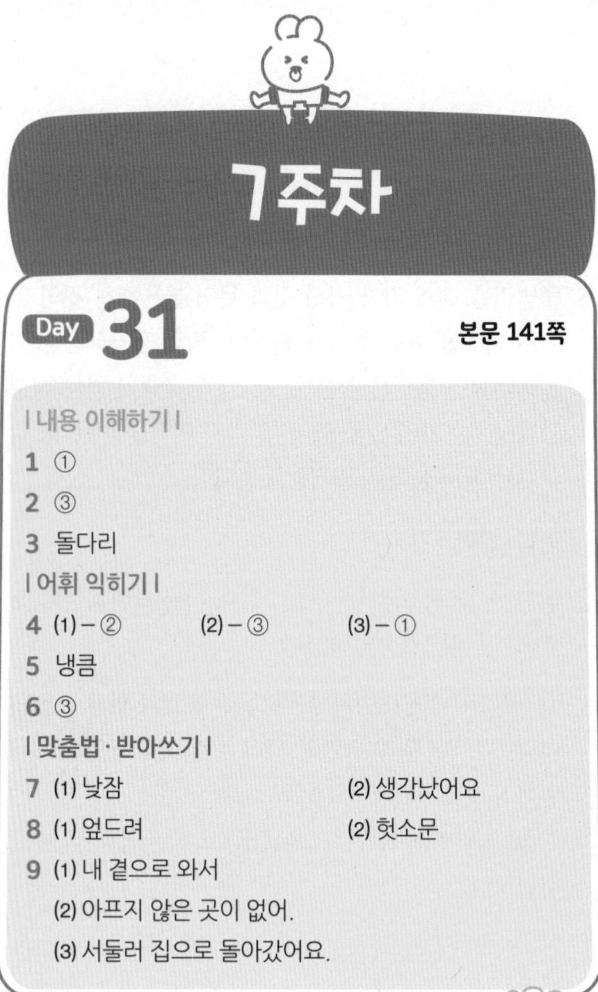

7주차

Day 31

본문 141쪽

| 내용 이해하기 |

1 ①

2 ③

3 돌다리

| 어휘 익히기 |

4 (1) – ② (2) – ③ (3) – ①

5 냉큼

6 ③

| 맞춤법 · 받아쓰기 |

7 (1) 낮잠 (2) 생각났어요

8 (1) 엎드려 (2) 헛소문

9 (1) 내 곁으로 와서
(2) 아프지 않은 곳이 없어.
(3) 서둘러 집으로 돌아갔어요.

| 내용 이해하기 |

1 사자는 사냥하지 않고 먹이를 구하고 싶었습니다. 그래서 동물들이 자신에게 병문안을 오게 하려고 자신이 큰 병에 걸려 꼼짝할 수 없다고 헛소문을 퍼뜨렸습니다.

2 여우는 동굴 속으로 들어간 동물 발자국은 있는데 밖으로 나온 발자국은 없는 것을 보고 '사자의 말을 무조건 믿지 말고 조심해야겠다.'고 생각했습니다.

3 여우는 사자의 동굴 앞에서 주변 상황을 한 번 더 확인했습니다. 잘 알거나 확실해 보이는 일이라도 한 번 더 점검하고 주의하라는 뜻의 속담은 '돌다리도 두들겨 보고 건너라'입니다.

| 어휘 익히기 |

5 '얼른'은 '시간을 오래 끌지 않고 바로.'라는 뜻이므로 '냉큼'과 바꾸어 쓸 수 있습니다.

6 여자아이는 부채 바람으로 이미 식힌 국도 한 번 더 식혀서 먹고 있습니다. 잘 알거나 확실해 보이는 일이라도 한 번 더 점검하고 주의하라는 뜻의 속담은 '돌다리도 두들겨 보고 건너라'입니다.

| 맞춤법 · 받아쓰기 |

7 (1) '낮'과 '잠'이 한 낱말로 합쳐진 '낮잠'이 바른 표현입

니다.

(2) 낱말의 원래 모양은 '생각나다'입니다. '생각나다'와 '–았어요'가 합쳐진 '생각 났어요'가 바른 표현입니다.

8 (1) 낱말의 원래 모양은 '엎드리다'이고 '엎드려'가 바른 표현입니다.

(2) '헛–'과 '소문'이 한 낱말로 합쳐진 '헛소문'이 바른 표현입니다.

| 맞춤법 · 받아쓰기 |

7 (1) [힘껃]으로 소리 나지만 '힘껏'이 바른 표현입니다.

(2) [쫑그탄]으로 소리 나지만 '쫑긋한'이 바른 표현입니다.

8 (1) '이렇게나'가 바른 표현입니다.

(2) '훌륭한'이 바른 표현입니다.

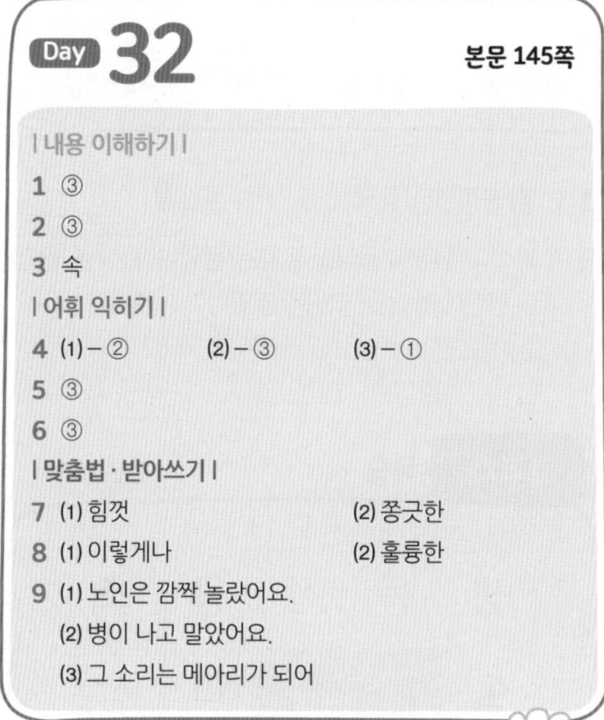

Day 32 본문 145쪽

| 내용 이해하기 |

1 ③

2 ③

3 속

| 어휘 익히기 |

4 (1) – ② (2) – ③ (3) – ①

5 ③

6 ③

| 맞춤법 · 받아쓰기 |

7 (1) 힘껏 (2) 쫑긋한

8 (1) 이렇게나 (2) 훌륭한

9 (1) 노인은 깜짝 놀랐어요.
(2) 병이 나고 말았어요.
(3) 그 소리는 메아리가 되어

| 내용 이해하기 |

1 임금님의 귀는 당나귀처럼 크고 쫑긋한 모양입니다.

2 노인은 임금님의 비밀을 말할 수 없어서 답답했습니다.

3 임금님의 비밀을 말할 수 없어서 답답했던 노인은 뒷산 대나무 숲에 가서 소리치자 마음이 홀가분해졌습니다. '그동안 신경이 쓰였던 일이 해결되어 마음이 홀가분하다.'라는 뜻의 관용어는 '속이 시원하다'입니다.

| 어휘 익히기 |

5 '완성하다'는 '완전하게 다 이루다.'라는 뜻입니다. 아이가 ③번 그림에서 블록을 다 쌓아 성을 완성했습니다.

6 '나'는 오빠의 장난감을 망가뜨린 일을 말하지 못해 마음이 불편했습니다. 이 사실을 오빠에게 이야기한 뒤에는 '속이 시원했을' 것입니다.

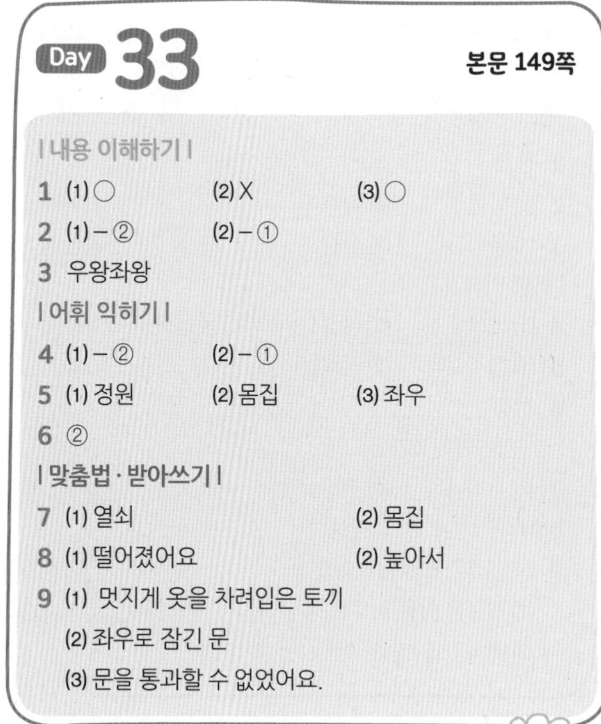

Day 33 본문 149쪽

| 내용 이해하기 |

1 (1) ○ (2) X (3) ○

2 (1) – ② (2) – ①

3 우왕좌왕

| 어휘 익히기 |

4 (1) – ② (2) – ①

5 (1) 정원 (2) 몸집 (3) 좌우

6 ②

| 맞춤법 · 받아쓰기 |

7 (1) 열쇠 (2) 몸집

8 (1) 떨어졌어요 (2) 높아서

9 (1) 멋지게 옷을 차려입은 토끼
(2) 좌우로 잠긴 문
(3) 문을 통과할 수 없었어요.

| 내용 이해하기 |

1 (2) 앨리스는 멋지게 옷을 차려입고 시계를 보면서 바쁘게 뛰어가는 토끼를 보았습니다.

2 앨리스가 물병의 물을 마셨더니 몸집이 줄어들었고, 케이크를 먹었더니 몸집이 다시 커졌습니다.

3 방향을 정하지 못하고 이쪽저쪽으로 왔다 갔다 하는 것을 '우왕좌왕'이라고 합니다. 앨리스는 복도 좌우의 잠긴 문들을 보고 어디로 가야 할지 몰라 우왕좌왕했습니다.

| 어휘 익히기 |

6 남자아이가 어느 쪽으로 가야 하는지 기억이 나지 않아 이리저리 왔다 갔다 하고 있습니다. '방향을 정하지 못하고 이쪽저쪽으로 왔다 갔다 하는 것'을 나타내는 한자 성어를 '우왕좌왕'입니다.

| 맞춤법 · 받아쓰기 |

7 (1) [열쐬]로 소리 나지만 '열쇠'가 바른 표현입니다.
(2) [몸찝]으로 소리 나지만 '몸집'이 바른 표현입니다.

8 (1) 낱말의 원래 모양은 '떨어지다'이고 '떨어졌어요'가 바른 표현입니다.
(2) 낱말의 원래 모양은 '높다'이고 '높아서'가 바른 표현입니다.

Day 34 본문 153쪽

| 내용 이해하기 |
1 상징
2 (1) 밝음 (2) 태극
3 (1) 우리나라 (2) 상징
| 어휘 익히기 |
4 (1) 조상 (2) 상징 (3) 독립
5 (1) 한결같다 (2) 평화롭다
6 상징
| 맞춤법 · 받아쓰기 |
7 (1) 우리나라 (2) 우리 조상
8 (1) 흰 (2) 영원한
9 (1) 태극기가 휘날렸어요.
(2) 새로운 꽃을 피우는 특성
(3) 애국가를 부를 때

| 내용 이해하기 |

1 태극기가 우리나라를 상징하는 국기이기 때문에 사람들은 '대한 독립 만세'를 외칠 때 태극기를 들었습니다.

2 (1) 흰 바탕은 밝음과 순수, 평화를 사랑하는 우리 민족을 뜻합니다.
(2) 태극 문양은 모든 것들이 서로 어울리는 것을 나타냅니다.

3 태극기, 무궁화, 애국가는 우리나라의 상징입니다.

| 어휘 익히기 |

6 태극기, 무궁화, 애국가는 모두 우리나라의 상징입니다.

| 맞춤법 · 받아쓰기 |

7 (1) 한국 사람이 한국을 이르는 말인 '우리나라'는 붙여 씁니다.
(2) '우리'와 '조상'은 각각의 낱말이므로 띄어 씁니다.

8 (1) [힌]으로 소리 나지만 '흰'이 바른 표현입니다.
(2) 낱말의 원래 모양은 '영원하다'이고 '영원한'이 바른 표현입니다.

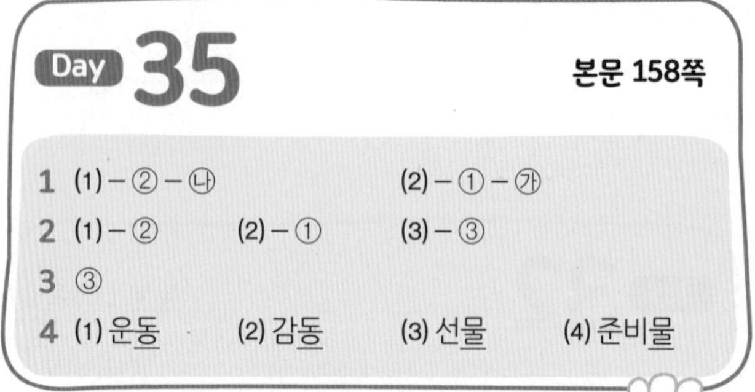

Day 35 본문 158쪽

1 (1) – ② – ㉯ (2) – ① – ㉮
2 (1) – ② (2) – ① (3) – ③
3 ③
4 (1) 운동 (2) 감동 (3) 선물 (4) 준비물

1 (1) 動 움직이다(움직일) 동 (2) 物 물건 물

3 ①과 ②의 빈칸에 들어갈 글자는 '물'입니다.(생물, 물건)
③의 빈칸에 들어갈 글자는 '동'입니다.(행동)

7주차 복습 본문 160쪽

(1) 궁리하다 (2) 완성하다 (3) 좌우
(4) 평화롭다 (5) 조상 (6) 동작
(7) 생물

8주차

Day 36

본문 163쪽

| 내용 이해하기 |

1 ②

2 ①

3 떡잎부터

| 어휘 익히기 |

4 (1) 이름나다 (2) 차지하다 (3) 뛰어나다

5 (1) 장차 (2) 학자

6 ④

| 맞춤법 · 받아쓰기 |

7 (1) 며칠 (2) 되던

8 (1) 뛰어나요 (2) 남다른

9 (1) 큰 병을 앓았어요.
(2) 얼마 후 병이 나았어요.
(3) 아홉 번이나 차지했어요.

| 내용 이해하기 |

1 율곡은 어머니의 병이 빨리 낫게 해 달라고 며칠 동안 기도했습니다. 이 점에서 율곡이 효자임을 알 수 있습니다.

2 ② 율곡이 임금을 도와 나랏일을 하게 된 때는 글에 나와 있지 않습니다.
③ 율곡이 스물세 살 때 퇴계 이황을 만났습니다.

3 잘될 사람은 어려서부터 남달리 장래성이 엿보인다는 뜻의 속담은 '될성부른 나무는 떡잎부터 알아본다'입니다.

| 어휘 익히기 |

5 (1) 어린이들이 미래에 나라의 주인이 될 사람들이라는 뜻이 되어야 하므로 '장차'가 어울립니다.
(2) 퇴계 이황이 학문에 뛰어난 사람이라는 뜻이 되어야 하므로 '학자'가 어울립니다.

6 어릴 때부터 피아노를 잘 쳤던 모차르트가 어른이 되어 뛰어난 음악가가 되었으므로, 이 상황에 알맞은 속담은 '될성부른 나무는 떡잎부터 알아본다'입니다.

| 맞춤법 · 받아쓰기 |

7 (1) '며칠'이 바른 표현입니다.
(2) 과거의 일을 말하고 있으므로 '되던'이 바른 표현입니다.

8 (1) 낱말의 원래 모양은 '뛰어나다'이고 '뛰어나요'가 바른 표현입니다.
(2) 낱말의 원래 모양은 '남다르다'이고 '남다른'이 바른 표현입니다.

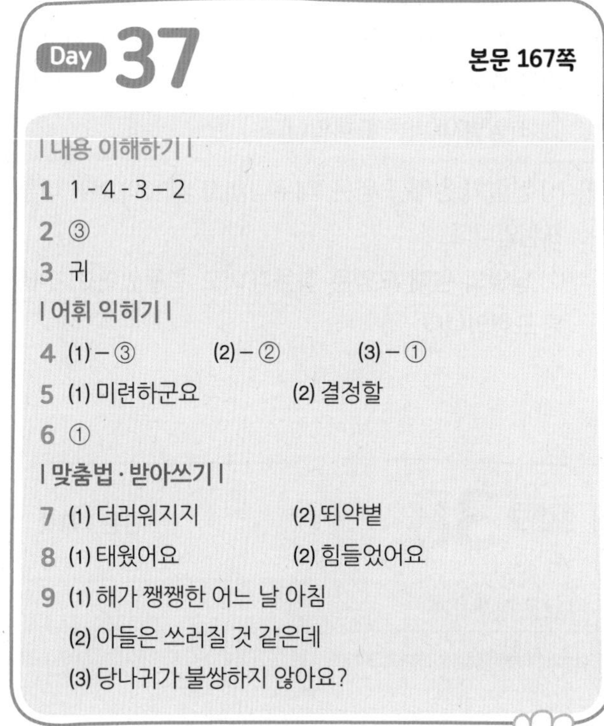

Day 37

본문 167쪽

| 내용 이해하기 |

1 1 - 4 - 3 – 2

2 ③

3 귀

| 어휘 익히기 |

4 (1) – ③ (2) – ② (3) – ①

5 (1) 미련하군요 (2) 결정할

6 ①

| 맞춤법 · 받아쓰기 |

7 (1) 더러워지지 (2) 뙤약볕

8 (1) 태웠어요 (2) 힘들었어요

9 (1) 해가 쨍쨍한 어느 날 아침
(2) 아들은 쓰러질 것 같은데
(3) 당나귀가 불쌍하지 않아요?

| 내용 이해하기 |

1 아버지와 아들은 당나귀를 들것에 태우고 갔습니다. → 한 농부를 만난 뒤 당나귀에 아들을 태우고 갔습니다. → 장사꾼을 만난 뒤에는 아버지가 당나귀를 타고 갔습니다. → 세 여자를 만난 뒤에는 아들과 아버지 모두가 당나귀를 타고 갔습니다.

2 남의 말을 너무 쉽게 받아들여 고생한 이야기이므로 자신의 일은 스스로 결정하고 행동해야 한다고 느낄 것입니다.

3 아버지는 길에서 만난 사람들이 말하는 대로 행동했습니다. 이렇게 남의 말을 생각없이 쉽게 받아들이는 것을 '귀가 얇다'라고 합니다.

| 어휘 익히기 |

5 (1) '미련하다'는 '행동이나 생각이 어리석고 둔하다.'라는 뜻입니다. '버릇없다'는 '어른을 대할 때 예의가 없고 태도가 바르지 못하다.'라는 뜻입니다.
(2) '결정하다'는 '무엇을 어떻게 하기로 분명하게 정하

다.'라는 뜻입니다. '걸어가다'는 '목적지를 향해 다리를 움직여 나아가다'.라는 뜻입니다.

6 여자아이가 자기 생각 없이 가족들이 말하는 대로 입다 보니 모자, 옷, 신발의 조화가 이루어지지 않았습니다. 이렇게 자기 생각 없이 남의 생각을 쉽게 받아들일 때 '귀가 얇다'라고 합니다.

| 맞춤법 · 받아쓰기 |

7 (1) 낱말의 원래 모양은 '더러워지다'이고 '더러워지지'가 바른 표현입니다.
(2) '뙤약볕'이 바른 표현입니다.

8 (1) 낱말의 원래 모양은 '태우다'이고 '태웠어요'가 바른 표현입니다.
(2) 낱말의 원래 모양은 '힘들다'이고 '힘들었어요'가 바른 표현입니다.

Day 38 본문 171쪽

| 내용 이해하기 |
1 시합
2 ③
3 막상막하
| 어휘 익히기 |
4 (1) – ③ (2) – ② (3) – ①
5 해설 참조
6 막상막하
| 맞춤법 · 받아쓰기 |
7 (1) 당할걸 (2) 계속됐어요
8 (1) 향했어요 (2) 대단하네
9 (1) 방귀 시합을 하고 싶어서
(2) 재빠르게 방귀를 뀌었어요.
(3) 코를 막고 가 버렸어요.

| 내용 이해하기 |

1 김 씨는 방귀 '시합'을 하고 싶어서 박 씨네 집을 찾아갔습니다.

2 박 씨는 김 씨가 박 씨의 아들을 방귀로 날렸다는 이야기를 듣고 화가 나서 김 씨를 혼내 주러 윗마을로 뛰어갔습니다.

3 김 씨와 박 씨의 방귀 실력은 서로 차이가 없을 정도였습니다. 이렇게 더 낫고 못함의 차이가 거의 없음을 나타내는 한자 성어는 '막상막하'입니다.

| 어휘 익히기 |

5 '절구통'은 절구질을 할 때 곡식 등을 담는 우묵한 통이고, '아궁이'는 방이나 솥 따위에 불을 때기 위해 만든 구멍입니다.

6 누구의 실력이 더 나은지 가릴 수 없을 만큼 차이가 거의 없으므로, 막상막하가 들어가기에 알맞습니다.

| 맞춤법 · 받아쓰기 |

7 (1) '당할걸'이 바른 표현입니다.
(2) 낱말의 원래 모양은 '계속되다'이고 '계속되었어요'의 줄임말인 '계속됐어요'가 바른 표현입니다.

8 (1) 낱말의 원래 모양은 '향하다'이고 '향했어요'가 바른 표현입니다.
(2) 낱말의 원래 모양은 '대단하다'이고 '대단하네'가 바른 표현입니다.

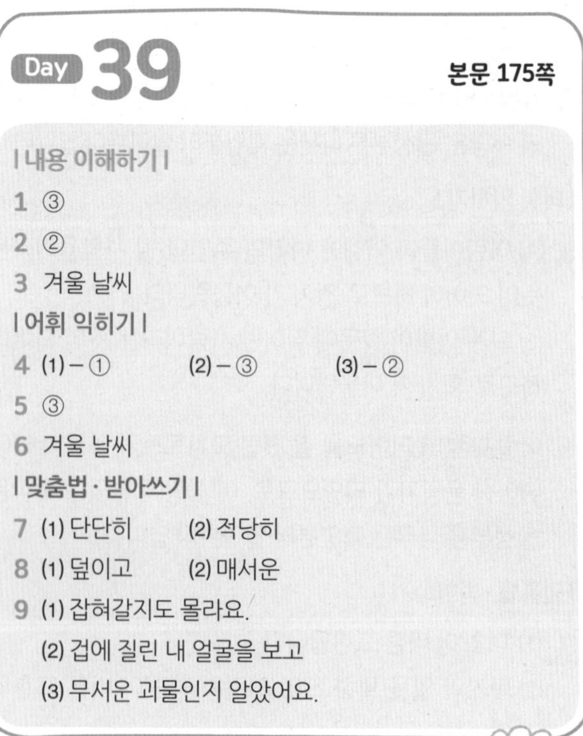

Day 39 본문 175쪽

| 내용 이해하기 |
1 ③
2 ②
3 겨울 날씨
| 어휘 익히기 |
4 (1) – ① (2) – ③ (3) – ②
5 ③
6 겨울 날씨
| 맞춤법 · 받아쓰기 |
7 (1) 단단히 (2) 적당히
8 (1) 덮이고 (2) 매서운
9 (1) 잡혀갈지도 몰라요.
(2) 겁에 질린 내 얼굴을 보고
(3) 무서운 괴물인지 알았어요.

| 내용 이해하기 |

1 동장군은 매서운 추위를 이르는 말입니다.

2 한겨울이 되어 매섭게 추워지면 동장군이 심술을 부린다고 말합니다.

3 우리나라 겨울 날씨는 눈 오고 차가운 바람도 부는 매우 추운 날씨입니다.

| 어휘 익히기 |

6 뉴스 진행자와 기상 예보관이 겨울 날씨에 대하여 대화하고 있습니다.

| 맞춤법 · 받아쓰기 |

7 (1) '단단히'가 바른 표현입니다.
(2) '적당히'가 바른 표현입니다.

8 (1) [더피고]로 소리 나지만 낱말의 원래 모양은 '덮이다'입니다. 따라서 '덮이고'가 바른 표현입니다.
(2) 낱말의 원래 모양은 '매섭다'이고 '매서운'이 바른 표현입니다.

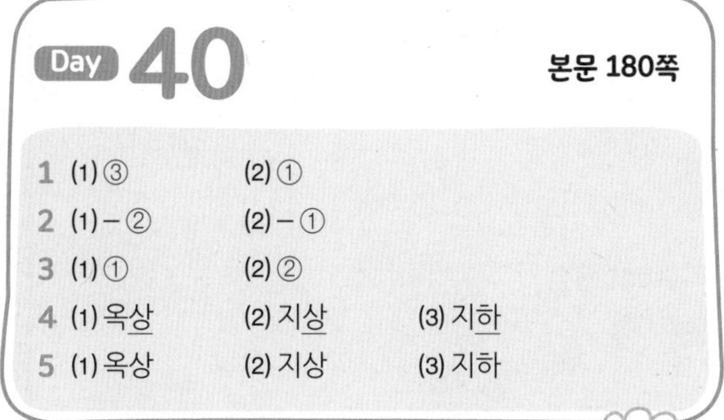

Day 40 본문 180쪽

1 (1) ③ (2) ①
2 (1) – ② (2) – ①
3 (1) ① (2) ②
4 (1) 옥상 (2) 지상 (3) 지하
5 (1) 옥상 (2) 지상 (3) 지하

1 (1) 上 윗 상 (2) 下 아래 하

8주차 복습 본문 182쪽

(1) 학	(3) 결	정	하	다
자			(2) 차	
			지	(6) 상
(5) 매	섭	다	(7) 하	체
	(4) 여	기	다	

(1) 학자 (2) 차지하다 (3) 결정하다
(4) 여기다 (5) 매섭다 (6) 상체
(7) 하체

MEMO

어휘력 자신감

1단계